Česká Japonka

かもがわ出版

チェコの人にもらったキツネのぬいぐるみを抱いて、10 歳のとき、ひとりで帰国した。チェコの絵本とともに（p.132）

チェコ語を勉強するために３年生のクラスに一時通った母も、集合写真に納まる（p.27）

森のなかの学校スクレナーシカで過ごした２週間は特別な体験だった（p.47）

1964年の東京オリンピックで体操の名花といわれた金メダリスト、チェコのチャースラフスカーさんに取材する父(右)。真ん中はシャンソン歌手の石井好子さん。1970年ごろ

プラハで3度目に移り住んだのはドブロチョヴィツカー通り12番地のテラスハウスだった。わが家は真ん中で、向かって右が双子の家(p.34)

スロバキア語で 10 コルナと表記されたチェコスロバキアのお札（200 円相当）

プラハの私のベッド脇の飾り棚に置かれたぬいぐるみと、ノヴァークさんの手作りランプ

右から同級生のヴラージャと奥さん、ミーシャ、私。小5以来10年ぶりの再会（p.57）

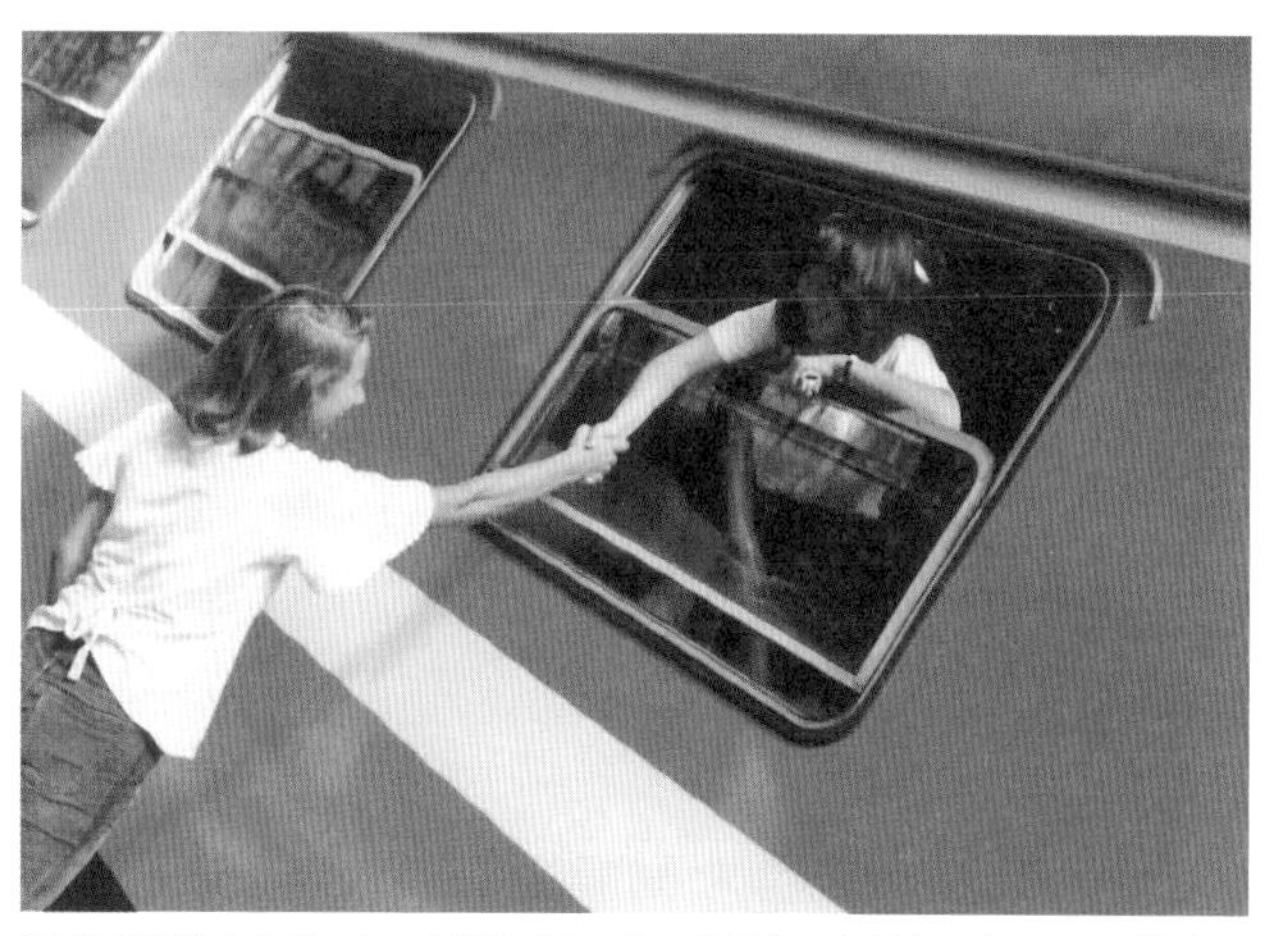

20歳で再会したミーシャと別れてミーシャも見たことがないウィーンへ旅立つ（p.57）

留学中（1984-86 年）、母の友人イェルカ・アンドゥルレが 2 年間無料で貸してくれた屋根裏部屋からの眺め（p.78）

1986 年、家庭医だったドクトル・ドゥハイを母と妹と訪ねた。ピアノの先生やバビチカ（おばあさん）とのきずなも、この先生の紹介から始まった（p.27）

私が留学を終えた年の1986年に母と妹とチェコで合流してミリチーンへ。バビチカ（右前）はまだ元気で、妹のノリチカ（のりこの愛称）との再会をなにより喜んでくれた（p.41）

チェコに行って真っ先に会いたかったのはノヴァーコヴァーさん夫婦。1986年夏に母、妹と私の3人で訪ねると、母が差し上げたおちょことぉっくりを出してきた（p.161）

1985年プラハ留学中に東ベルリンのアンゲリカの実家に行ったのを機に、ひとりで西ベルリンへ入った。壁には落書きがあり、展望台から東ベルリン側を眺めた（p.90）

西ベルリンに住んでいた1989年の11月9日の晩、壁を越えて東ドイツの車が来ているとの情報をラジオで知り町へ出ると本当だった。ベルリンの壁がついに崩壊した（p.105）

はじめに

木村有子

この本を開いた方は「ヤポンカ」ってなんだろう、と思っていることでしょう。ヤポンカは、チェコ語で日本人の女性という意味です。日本人男性はヤポネツです。

私は生まれも育ちも日本で、両親も日本人ですが、小学校3年生から5年生までチェコスロバキアのプラハで暮らし、そのときの経験によって人生ががらりと変わりました。家から歩いて行ける現地校へ入り、毎日チェコの友人と遊び、友人宅へ遊びに行くうちに、家族ぐるみのおつき合いが始まりました。週末や夏休みにチェコ人の別荘に呼ばれると、丘の上に並ぶ、サクランボがたわわになる木に登って、木の上で好きなだけその実を食べました。森でキノコやブルーベリーを採ると、それはキノコフライや、なかに果物が入ったおまんじゅうのようなチェコ料理になって昼ご飯に出てきました。

社会主義国だったチェコスロバキアの店頭で当時売られていた物は、品物がどこも同じで無味乾燥だと大人は不満顔でしたが、子どもの私には、豊かな自然のなかで多くの恵みをいただいた楽しい思い出の方が記憶に残っています。そんな私は、帰国してからチェコが懐かしくて、チェコの友人たちを思わない日はなかったほどです。

『チェコのヤポンカ』をチェコ語にするとき『Česká Japonka』としました。日本人だけどチェコっぽい、チェコに染まった日本人、というようなニュアンスを残したかったのです。プラハに到着してチェコ語が聞こえてきた瞬間や、カレル橋からプラハ城の景色を見るたび「ああ、やっと私の心のふるさとチェコに帰ってきた」と、嬉しさがふつふつとこみあげてきます。

チェコスロバキアの暮らしをうかがい知ることができなかった1970年代、そこに駐在した私たち日本人一家をあたたかく迎えてくれたチェコの人びと。少女ヤポンカは、大人になり再びチェコスロバキアに留学しますが、自由がない厳しい世界を体験します。その数年後の1989年夏に西ベルリンに住み始めると、ベルリンの壁がある日突然崩壊するのを目の当たりにし、気がつくと歴史の大きなうねりのなかにいました。そして、念願の子どもの本の翻訳家になり、もぐらくんの作者ミレル氏との交流も10年間続きました。チェコスロバキアに暮らしたときから数えて半世紀。本書は、ヤポンカの視点で、家族と交流のあったチェコの人びとの姿を書いたエッセイです。

チェコのヤポンカ――私が子どもの本の翻訳家になるまで　もくじ

3 絵本の翻訳につながる道

チェコのヤポンカ——私が子どもの本の翻訳家になるまで

チェコ共和国と周辺国

チェコスロバキア時代の地図

1 子ども時代

夜のプラハはオレンジ色

1970年、はじめてのチェコ

日本がEXPO'70、大阪万博に高揚していた8月、母・景子は小学校3年生の私と3歳の妹・典子をつれて羽田空港から、プラハへと向かった。乗り換えで降りたソ連(当時)のモスクワの空港は、ガラス張りで空調がきかず気分が悪くなるほど暑かった。水が飲みたくて頼んでも、ゴム臭い炭酸水が出てきて飲めなかった。不親切な空港で、プラハ行きの飛行機に乗り遅れまいと、母が「プラーグ?」「プラーグ?」と必死の形相で人に尋ねていたのを覚えている。小さなプロペラ機に乗り込むと、暑さでぐったりした妹を座席に寝かせてから、母は大胆にも狭い通路にゴロンと横になった。

夜遅く、ようやくプラハのルジニェ空港に到着すると、照明は暗く、ガラーンと広い空間は妙な静けさに包まれていた。パスポート検査が済み、簡素なドアをパタンと開けて外に出ると、父・晃三の姿があって、全身の力が抜けるように感じた。会うのは半年ぶりだった。

父は、他の報道機関に先立ち、読売新聞社プラハ支局を開設するために、半年前からプラハに赴任していた。その理由は、2年前までにさかのぼる。チェコスロバキアで〝プラハの春〟と呼ばれる民主化の動きを、ソ連軍とワルシャワ条約機構軍がプラハへ侵攻して踏みにじった、1968年8月の「チェコ事件」があったからだ。米ソ冷戦時代の〝鉄のカーテン〟があるころで、チェコスロバキアはその事件以来、一気にその動向を注目されるようになった。

父の運転する車の助手席で、私は窓を開けて風にあたっていた。プラハのオレンジ色の街灯が、ぼおっと光って、町全体がオレンジ色に見えた。東京のように、まぶしくてチカチカ動くネオンもなければ、騒がしい車の往来もない。車が揺れてガタガタと音がするのは、道路が石畳のせいだとわかった。人はどこにいるのだろう、と思うほど気配がなかった。小学校のお別れ会で、友だちに「チェコに行ったら、チョコをいっぱい食べてください」と言われたので、おかしのあふれる楽しい国に行くのかな、と小学校3年生は想像していたのに……。チェコの正式な国名は「チェコスロバキアシャカイシュギキョウワコク」と、小学生にはとても長い名前だった。チェコとスロバキアが、まだひとつの国を成していたころの話だ。

プラハ10区に暮らす

私たちがチェコで最初に住んだのは、プラハ10区の集合住宅だった。歩道の並木は背が低かったが、広い道路に面して建つ、4人家族には十分な広さがある2LDKで、新しい住宅だった。

言葉がわからないまま、いきなり始まったはじめての外国暮らし。母は、早くチェコの生活にとけ込みたくて、私と妹と一緒にチェコ語を覚えようと一生懸命だった。

「チェコ語で『こんにちは』は『ドブリーデン』。忘れそうになったら、どんぶりを思い出せばいいのよ」と母に言われて「えっ、どんぶり？」と思った。はじめて覚えたチェコ語は、そんなわけでチェコにはない「丼」の絵のイメージが私の脳裏に焼きついた。

私と妹は誰かと遊びたくて、集合住宅の中庭に出てほどなくすると、1歳年上のヤナ・

プラハに到着した夜、ぼんやりとオレンジ色の光に浮き上がる町は幻想的だった

ノヴァーコヴァーという、大人ほどの背丈がある女の子の友だちができた。子どもたちの世界で、ヤナはどうも親分のようだった。ヤナが家に遊びに来るたびに、母は鉛筆と紙を持って「ヤナ、これはチェコ語でなんて言うの?」「これは?」とフォークやナイフ、フライパンやいろいろな野菜などを指差してチェコ語を教わり、ノートに書いていった。「ドブリーデン」を「どんぶり」の語呂から覚えたように、キャベツは「ゼリー(zelí)」、キュウリは「怒る気(okurky)」と日本語に近いものがあるとすんなり頭に入った。

ヤナの住まいは、お向かいにある集合住宅の5階でエレベーターはなかった。

夏休みだったので毎日のように行き来して遊んだ。きれいに片づいたヤナの家で、お昼ご飯のスープとメインのお料理をはじめてごちそうになった。キッチンは手狭で、流しの脇に小さなテーブルとふたつのいすを置くだけでいっぱい。家族が交代で、キッチンで食事をしていた。ヤナのお母さんノヴァーコヴァーさんは、ブロンドのショートヘアで目が青く、とがったようなあごと高い鼻が、魔法使いのようだとはじめて会ったとき私は思った。ヤナのお父さんノヴァークさんは、体重が100キロもある、おなかの突き出た、よく笑う優しいおじさんだった。

私たちのチェコでの生活は、こうしてなんでも助けてくれるチェコの家族と知り合ったことで、幸先よくスタートした。

子どもだった私は、2年前に起きた「チェコ事件」のことも知らず、ただただ無邪気に遊んだ。もし、あの事件がなかったら、今の私はなかっただろう、と運命的なものに気がついたのは、それよりずっと後のことだった。

もっとも、はじめのころは勘違いや失敗もたくさんあった。お手伝いさんのエリザベーターは、体も声も大きくて、話しかけられると怒られている気がした。そんなある日のこと。「スブタ、スブタ！」とくり返し言われて困った私は、母に聞いた。

プラハの町は小さく、ヴルタヴァ川や旧市街や城の散歩にも出かけた

「エリザベーターがスブタ、スブタって言うんだけど、酢豚を作るってこと？」これには母も首をかしげた。父がいるときにエリザベーターは再び「スブタ、スブタ……！」をくり返した。すると、「ああ、土曜日にうちへ遊びにいらっしゃいってさ」とロシア語のできる父が理解して、スブタ（sobota　正しい発音はソボタ）は酢豚でなくて土曜日だということが、やっとわかった。

「プラハの春」とよばれた1960年代後半に起きた民主化と自由化の運動は、「社会主義再生の最後のチャンス」といわれたが、68年の8月、ソ連の率いるワルシャワ条約機構軍によるプラハ侵攻によって踏みにじられた。皮肉にも、この事件でチェコは、一気に世界の同情と注目を集めることになった。

コロビェシカ

ぽーんと放り込まれたチェコ語の海

「チェコに行ったら、英語がペラペラになるんでしょう?」

日本を発つ前、小学校3年生の同級生に言われた。なんと答えていいのか、わからなかった。英語も何語もなく、私の場合はいきなりチェコ語の海へ、ぽーんと放り込まれてしまった。

そのせいか、はじめてチェコの子どもたちと話そうとした夏の日のことを、今でもはっきりと覚えている。

プラハに到着した8月の、ある天気のいい日のことだった。集合住宅3階のキッチンの窓から外を見ると、まっすぐにのびた並木通りを、ときたま車が通るくらいだった。夏休みで人が少なかったせいもあるが、東京のようなごちゃごちゃした街から来ると、プラハ10区の住宅地はとても広々していると感じた。

反対側のベランダに出ると、向かいにある棟とのあいだは、車が通らず中庭のようになっていて、子どもたちが自転車に乗って遊んでいた。家のなかにいることに、とっくに飽きていた私は、幼い妹をつれて、思いきって外へ行くことにした。

表に出ると、じめじめした日本の夏とは違うさわやかな空気に包まれた。1年生から6年生ぐらいまでの子どもが4、5人集まって、自転車や、日本で見たこともないような乗り物に片方の足を乗せて、スイスイ走っていた。

(わあ、楽しそう！　片足で乗って、片足で地面を蹴る、あの乗り物はなんだろう？)

うらやましくて自分も乗ってみたいのに、ひと言もチェコ語ができないことに気がついた。

はじめて出会ったチェコの子どもたちに囲まれて……!!

しばらく妹とぼんやり子どもたちの様子を見ていたものの、ついに勇気をふりしぼって、その未知の乗り物に乗っている子どもに近づいていき、話しかけてみた。

「アナタノ、ソレ、ワタシニ、カシテクレル?」と、手まねでやってみる。アジア人は珍しかったとみえて、たちまち、私たちのまわりに子どもたちが集まってきた。

ブロンドの子、巻き毛の子、なかにはアジア人には見えないのに髪も目も黒い子もいる。よく見ると、3年生ぐらいの男の子だと思っていたショートヘアの女の子は、耳にピアスをしていた。(子どもなのにピアス?)と、チェコの子どもを間近で見るのも、じっと見られるのも驚きで、ドキドキした。

「ねえ、どうしたの?」「なに、なに?」

子どもたちにとって、見たこともないアジア人の私がなにを言っているのか知りたくて仕方がない、というふうだった。とっさに、私は手と顔の表情を用いて、なんとか思っていることを伝えようとしていた。もう一度挑戦してみた。

「ソレヲ、ワタシニ……」と、乗り物をしっかり指で示しながら次に自分を指して、最後に首をかしげて「OK?」。心のなかでは、「その乗り物を私に貸してくれない?」と日本語で言いながらやった。

「はい」

すると、その子が乗り物を私に差し出した。

(わあ、はじめてチェコ人に言いたいことが通じた!)

受け取ると嬉しくなって、見よう見まねで片足を台に乗せると、バランスを取りながら地面を思いっきり蹴った。その乗り物の車輪は小さくて、走るとブリキの音がカラカラカラと鳴って頼りない感じがしたが、蹴る方の足は、しっかりと地面の感触をとらえていた。

乗り物を返すとき、言いたかった「ありがとう」の言葉も知らなかったが、気持ちを込めて相手の目を見ると、なんだか通じたような気がした。

夕方、舞い上がるような気持ちで家に帰ると、初めてチェコの子どもたちに自分の気持ちが通じて、片足で蹴るおもしろい乗り物を借りて乗ったという〝一大事件〟を興奮して親に話して聞かせたのだった。

そんなふうに体を使って表現して、コロビェシカという2輪のキックボードを借りられたことが嬉しかったし、ちょっと日本語の「転ぶ」と語呂が似ているので、名前もすぐに覚えることができた。

大切な友情が芽生えた夏の日々

近所の子どもたちのなかでも、特に親しくなったのはお姉さんのような存在のヤナと、黒髪で目がくりくりしたギリシャ人のアティンカ・フリディソヴァーだった。お互いの家

コロビェシカが大好きだった。夏休みに行った担任の先生の夫フリンさんのご実家に、サドル付きのコロビェシカがあった

を行き来するうちに、友だちの名前や家庭のようすもわかってきて、ときに複雑なことでも伝えなくてはならなくなった。

「ごはんだから帰るね」は、まだいいとしても「いったん帰るけど、トイレに行ったらまた戻ってくるから待っていてね」という表現は、大変。恥ずかしがっていられないので、そういうときは手や足、全身を駆使してボディランゲージで切り抜けた。

そのうち相手から質問されると、勘がするどく働くようになって「名前は？」とか「どこから来たの？」「あなたは何歳？」に、いつのまにか答えられるようになっていた。

「Yuko」と、自分の名前をみんなに教えたときのこと。

「Yuko」と教えたのにもかかわらず、なぜか「Yuka!」とか「Yuki!」と呼ばれるので、どうして一度で覚えてくれないのかなあ、と不思議だった。ところが、チェコ語では人の名前すら変化する、名詞の格変化という大変な言葉のルールがある、ということが後になってわかったのだった。子どもは学校で教わる以前に、耳から聞いて、自然と使い方が身についているのだが、外国人にとって最初からこれを理解するのは難しい。ましてや私は8歳だった。

チェコの女性の名前はJanaのように語尾がAで終わる。それなのに、呼びかけるときだけ「Jano!」と語尾がOになる。だから、女性の名前なのにYukoのように語尾がOで終わる外国の名前に、チェコの子どもはきっと混乱してYukaとかYukiとか呼んだのだろう。

日本では、Yukoという名前はいつでもYukoのまま変化しない、ということを説明する術も、そのときは持ち合わせていなかった。

日本の名前には「ゆうこ」も「ゆか」も「ゆき」もあるだけに、チェコへ行って自分と違う名前で呼ばれた体験は強烈で、チェコ語はかなり不思議な言葉だなあと思った。

そんな難しいチェコ語の手ほどきを最初にしてくれたのは、1歳年上の友だちヤナと両親のノヴァーコヴァーさんたち。会えば楽しくおしゃべりして、いろいろ生活のことを教わって、母にとっても頼れるご近所さんとなった。

アティンカの家にも、私たちはよく招かれた。ギリシャ語とチェコ語が飛びかうにぎやかな家庭で、どんなときでも、食べろ、食べろと、オリーブやチーズやお手製ピロシキをすすめられた。アティンカのお母さんは民族舞踊と歌を指導していた。彫りの深い顔をしたアティンカのお父さんと父が話すと盛り上がり、とても気が合うようだった。

「アティンカの両親はね、若いときにギリシャが内戦になって、苦労をしてチェコに逃げてきた人たちなんだよ」と、父に教わった。ご両親のチェコ語が少しなまっていたのに比

自宅アパート前の、わが家の車の前で。この中庭でコロビェシカを借りて初めて乗った。一番右は親しかったギリシャ人のアティンカ

べて、子どもたちはチェコ人のようにチェコ語を話していた。

チェコに着いたばかりで、チェコ語をまったく話せなかったあの夏の日。私もあの乗り物に乗りたい！　その強い思いから、勇気を出してチェコの子どもに話しかけ、そこから生涯つき合うような友と出会ったのだった。

チェコの小学校

地元の小学校に入学

チェコに滞在していた数年間に、なんてわが家はチェコ人と密度の濃い日々を過ごしたのだろう。これもひとえに、私が通った現地校のおかげかなあ、と今になって思う。

1970年当時、プラハ在住の日本人はわずか100人ほどしかいなかったらしい。日本人学校も当時なく、私以外の日本人の子どもはみんな、インターナショナルスクールに入った。それなのにわが家だけなぜか「現地校でいい」という父のひと言で、私は家から歩いて通える地元の小学校に転入することになった。海外出張が多かった父が、子どもを遠い学校に入れても車で送り迎えすることはできないと判断してのことだった。

丸2か月間の長い夏休みが終わると、新年度が9月に始まる。チェコの義務教育は、日本の小・中学校を併せたような9年制。私はチェコの小学校で、日本ですでに終えていた3年生を半年間チェコでくり返すことになった。

えっ？ 廊下でおやつを食べ歩き⁉

初登校日。出張中の父に代わって、母と日本人留学生のお兄さんが通訳でついて来てくれて、築100年は経とうかという古い建物に入っていった。天井は高くて廊下は広かったし、ドアも子どもがやっと開けられるほどの大きさだった。校長先生の部屋で紹介された担任は、ダナ・フリノヴァー先生という、目は青くブロンドの、ふっくらした女の先生だった。

私が教室に入ると、ブロンドの大きな目をしたまじめそうな女の子の隣の席が用意されていた。先生の言うことはさっぱりわからなかったが「イレンカがノートに書くものを写しなさいね」と言われた気がしてイレンカの手元を見ると、鉛筆でなく万年筆が握られていた。イレンカはクラス一の優等生で、左手で万年筆を持つと、ペン先からとても美しい、流れるような曲線の筆記体が出てきて目を見張った。鉛筆なら消しゴムで消せるものを、万年筆では書き直しができないので書くのに緊張した。とにかく、せっせと書き写した。

黒板は2面あって上下の可動式。黒板消しは日本のものと違って、水にぬらしたスポンジというのにも驚いた。生徒数は22人。音楽の授業で楽器は弾かなかったし、歌は先生のふしに合わせて歌った。運動場がないので、体育館で運動をした。


チェコの学校では驚くことがたくさんあった。以下が〝びっくりしたことベスト5〟。

1　おやつの時間があったこと
2　筆記具は鉛筆でなく、万年筆だったこと
3　宿題がなかったこと
4　成績は5段階評価の1が最高で5が最低だったこと
5　落第制度があったこと

なかでも、おやつにまつわる話はたくさんあった。

初登校日の2時間目の休み時間。みんなは、持参したおやつを取り出して教室で食べ始めた。りんごを丸かじりする子や、サンドイッチやチョコレートをぱくつく子もいる。あ然とする私に「ねえ、あっちに行こうよ!」と誘う女の子がいた。一番の仲よしになっ

た、細くて元気なミーシャだった。

　校庭へ行くのかと思って廊下に出ると、あっと驚く光景が広がっていた。おやつを食べながら、生徒も先生も楽しそうにゾロゾロ歩いているではないか。廊下の端まで行ったらまた戻ってきて、回遊魚のようにみんながグルグルまわっている。ミーシャにサンドイッチを分けてもらい、私たちも食べながら回遊魚の流れに加わった。「日本では考えられないなあ」と、チェコの学校初日の私にはとても新鮮だった。朝のスタートが早いチェコでは、大人にもおやつ（スヴァチナ）の時間がちゃんとあり、午前10時ごろにパンや果物の軽食をとる。日本とは生活習慣が違うのだと、このとき初めて思った。

　私にチェコ語のABC（アーベーツェー）の手ほどきをしてくださったのは担任のフリノヴァー先生で、毎日放課後わが家で個人授業を受けた。チェコの小学校1年生が使うスラビカージュという、日本の「こくご」に相当する教科書を使い、何度も先生の話す単語を口移しのようにくり返す。数字も何度も何度も発音して覚えた。英語ともまったく違うチェコの数字は、なんだか念仏を唱えるようだった。一番難しい発音「ř」は、チェコの子どもでもできない場合があるから、すぐできなくてもいいのよ、と言われた。先生の熱意の甲斐あってか、ほどなくして私はクラスにとけこんで、会話はいつのまにか理解できるようになっていた。同じように3歳の妹はチェコの保育園に入ると、あっというまにチェコ語が話せるようになり、両親がチェコ語を理解できないことがあると、通訳をするのは私たち姉妹となった。

私がチェコの学校に慣れてくると、おもしろいように人との繋がりができていった。同級生のエヴァ・パルシコヴァーの一家と親しくなったことで、「ドリトル先生」そっくりの家庭医、ドクトル・ドゥハイを紹介された。ドクトルつながりで、ピアノの先生のミラダ・ポコルナーさんと知り合い、私はポコルナーさんにピアノを教わることになった。後に、ポコルナーさんのお母さん、バビチカ（チェコ語で「おばあさん」）は、母が忙しくなるとわが家に住み込んで面倒をみてくれたのだが、「忘れがたいチェコのおばあちゃん」と出会ったのも、もとをたどれば、現地校に入ったことがきっかけだった。

日本人のまったくいない現地校に、たったひとりで入る寂しさは、いつのまにやらどこかへ消えていた。なによりも、外国人である私をあたたかく迎え入れてくれたクラスがあったこと。外国人が珍しかった時代に、私たち家族を受け入れてくれたクラスの一人ひとりの顔を思い浮かべ、その広い心と優しさに包まれていたことを今思い出しても、胸がじんと熱くなる。

上：夏休みは担任の先生のご家族の田舎で過ごし、鶏小屋で卵を見つけたり、キュウリをもいだりするのが楽しかった

下：わが家の庭に集まった同級生。左からマルシカ、ミーシャ、私の隣で左を向いているのがイレンカ

上：参観日に白雪姫の劇をやることになり、白雪姫は黒髪が定番といわれて挑戦する

下：学校のスキー教室で初めてスキーをはく。リフトもなく自由に滑って楽しかった

チェコとドイツ

いざ、豊かな西ドイツへ！

チェコに暮らしていた70年代、ときに両親だけで、ときに家族で西ドイツのヴァイデンへ車で買い出しに行った。ヴァイデンは、プラハのほぼ西約150キロのところにあり、音楽祭で有名なバイロイトに近い人口4万人ほどの小さな町。プラハから行くときは〝ピルスナービール〟の発祥地でピルスナーの名前の由来となった町、プルゼニュ（ピルゼン）を通った。

チェコは当時、国営企業ばかりで、個人商店はなかった。明日食べるものに困るほど食料事情が悪かったわけではない。小麦も、乳製品や肉もあった。それでも、プラハで店の前に行列ができるのは、日常の風景だった。冬になると生野菜というのは、ジャガイモ、タマネギ、細くてしなびたニンジンぐらいしかなかったし、衣料品や靴はどの店も同じようなものばかりで、欲しいと思うものがなかった。トイレットペーパーが、ある日突然店先から消えることもあった。日本食が恋しくなったり服が欲しくなったりしたら、日本人はわざわざ隣国のドイツまで買いに行っていた。

ドイツへ出国するには、チェコとドイツの国境で待ち受けているパスポート検査を、無事通過しなければならない。検査官が車のトランクを開け荷物を調べる。全員車から降りるように言われ、座席の下に人を隠していないか調べられたこともある。

当時、チェコ人やスロバキア人には旅行の制限があり、西側へ出られなかったため、亡命者がいないか厳しい目が光っていた。ときには長い車列ができて、うんざりするほど時間がかかり、チェコ側のパスポート検査が済むと、〝やっと西ドイツへ来た!〟という解放感があった。

ドイツに入ると、そこは別世界だった。

きれいに舗装された道路を走るベンツやフォルクスワーゲン。チェコの国産車シュコダはチェコで人気があったものの、西ドイツで走っている姿は、おもちゃのように見えた。

　壁や屋根の手入れが行き届いた立派な家や、花の咲き乱れる庭。夜のネオンや信号機の明るい光。レストランに入れば、お店の人の笑顔が素敵だな、チェコとはだいぶ違うな、と思った。行列に並ばなくとも、店員に怒られなくとも買い物ができるなんて！

（このデパートをまるごと持ち帰りたいなあ）とチェコにいるみんなの顔を思い浮かべた。母はチェコの知人に頼まれた、文房具、カメラのフィルム、チェコで手に入りにくい薬、食料やジーンズなどの衣料品を忙しく買い揃えていた。誰かが西側へ行くと聞くと、チェコの通貨コルナではなくドルやマルクを渡して「これをぜひ買ってきてほしいのですが」と頼むことは、チェコではごく自然に行なわれていることだった。私もクラスのみんなに、消しゴムやペンのお土産を買った。

戦争ごっこでドイツは悪役

　西ドイツに買い出しに行くのは楽しくても、どうやらチェコ人と同じ目線で私はドイツやドイツ人を眺めるくせがついていたようだ。プラハで見かける西ドイツから来た観光客は、派手で大声を出す高慢そうな人たちに見え、チェコの友人と「ほら、うるさいのはドイツ人だよ」なんてうわさをしたのも、一度や二度ではない。

ヨーロッパの中央に位置し、近隣諸国に支配された歴史をもつ小さな国チェコ。70年当時は社会主義国ということもあり、〝ドイツに占領された第二次世界大戦の悲劇を忘れるな〟とばかりに、テレビでよく戦争映画を流していた。子どもにとってはどの映画も、ナチスドイツの残虐さだけが印象に残った。

プラハで3度目に移り住んだテラスハウスでは、隣に住む1歳年上の双子と仲よくなって、壁をコンコンとたたく「遊ぼう！」の合図で集合した。たてに長い庭や、ピアノを弾いたりして遊ぶのだが、いつのころからか、それに戦争ごっこも加わった。「チェコ少年少女合唱団」に所属する、ブロンドで明るい性格の姉のイトゥカと、おとなしかった弟のヤルダ。私たち姉妹と双子の4人が集まり誰からともなく「なにして遊ぶ？　じゃあ戦争ごっこ？」とふたりずつ組む。片方がナチスドイツ側で、他方はチェコ人側となった。ナチスの将校は残酷で、逃げ切れずにつかまったチェコ人親子を痛めつけた。悪役は決まってナチスドイツだった。

上：私のお別れパーティーに来てくれた隣の家の双子、イトゥカ（中央）、ヤルダ（右）、左はミーシャ

下：2000 年のはじめに昔住んでいたテラスハウスの隣の家を訪ねたら、遊び友だちのイトゥカ（右前）がいた！

歴史との不思議なめぐり合わせ

2000年に、NHKで放映されたシリーズ番組「未来への教室」の字幕翻訳の依頼が来たときのこと。この番組は、各界で活躍する国際的に著名な人物が教師となって、中学生に特別な課外授業を行なうというものだった。

「チェコ・フィルハーモニーの指揮者アシュケナージは、旧ソ連邦の生まれで亡命した音楽家です。アシュケナージ先生がロンドンの中学生に、ある課題をこれから出します。第二次世界大戦で、ナチスドイツに焼き討ちにされたチェコスロバキアのリディツェ村の歴史から学んだことを、みんなで曲にし、最後にはリディツェ村の人びとの前で演奏します」

番組制作者の話を聞きながら、私の目の前にパーッとある光景が浮かんだ。リディツェ村って、チェコの小学校で社会科見学に行った、あのリディツェ村？

「あそこには昔、小学校があって、こっちの方には広場があったんです」と、リディツェ記念館の人に説明を受けたものの、町があったとは想像できないほど、のっぺりとした丘だったという思い出。そのまま野外の処刑場の近くに行ったときの怖かったこと……。

「村の男は、ナチスに全員表に出るように言われると、地面に穴を掘るよう命令されました。掘ると穴の端に立たされ一斉に射殺されたのです。そして、そのまま穴に埋められました」リディツェで子どものとき聞いたこの話は、私の記憶から消し去られてはいなかった。

ナチスのハイドリヒ暗殺の首謀者を、この村がかくまったという疑いをかけられて、見せしめに村ごと焼き払われたリディツェ村。

この番組の仕事がきっかけになって、さまざまなことを思い出した。チェコとドイツ。チェコで暮らした70年代、80年代。ドイツで過ごした80年代から90年代のこと。チェコ人の目でドイツを見ていた私、小学生のヤポンカ。その約20年後の1989年に、東西ドイツを隔てるベルリンの壁崩壊の現場に居合わせるとは、夢にも思わなかっただろう。壁に開いた穴をくぐって西へやってきた見ず知らずの東ドイツ人たちと、肩を抱き合い、シャンペンを飲み交わす自分がそこにいるとは……。これもまた、運命のいたずら、あるいは私と歴史の不思議なめぐり合わせとしか言いようがないのだった。

ミリチーンの森

夏になると森へ

まぶしい初夏が訪れるとチェコの人びとは、足取りも軽く森へと向かう。チェコの森には、人を惑わす美しい妖精がいるという。そんなおとぎ話を信じたくなるような、どこか怖いイメージがあるのだが、一歩踏みこめば、豊かな実りの森が迎えてくれるのだった。松やにの香りに深呼吸をしたくなるような、見上げれば針葉樹にすっぽりと覆われた、木漏れ日だけが差し込む深緑の世界。

チェコの森と聞いて真っ先に思い浮かぶのは、ブルーベリーやキノコを初めて採ったミリチーンの森だ。「よし、じゃあミリチーンに行こうか」と、週末に父が思い立ったようにいうと、すぐにプラハから南へ50キロの道のりを、急がず車を走らせた。
高速道路を下りると、牧草地が現れ、リンゴ並木の道をゆるゆると走る。いつもお昼を食べに行った、そのあたりに1軒しかないホテル兼レストランが目印で、教会の前の急な坂を下って右に折れると、ゆるやかな坂道の途中に、その家はあった。

春から夏のあいだだけミリチーンの田舎に住んでいたピアノの先生のお母さん、バビチカ（おばあさん）。その田舎の暮らしぶりが、子どもだった私たちにはなんでも珍しかった。水を汲みに坂を下って井戸までついていくと、おばあさんたちの井戸端会議がきまって始まった。オーブンに薪をくべるところも、バビチカが洗ったジャガイモを庭に持ち出し、いすにこしかけて、小さなナイフでカリカリと薄皮だけを削ぐ様子もおもしろくて、やってみたくて仕方がなかった。

森の恵みで作るチェコ料理

森で収獲があれば、それはそっくり昼ごはんになるのだから、「今日はキノコのフライが食べられるかな」、とか「ブルーベリーの入ったオヴォツネー・クネドリーキをバビチカは作ってくれるかな」などと考えながら歩いた。

ピアノの先生の息子イェルカ・ポコルニーと森でキノコ採りをした

クネドリーキといえば、チェコの代表的な肉料理に必ずといっていいほど添えられる蒸しパンのようなもの。クネドリーキのなかでも季節の果物が入った甘い主食、オヴォッツネー・クネドリーキは、特に自家製がおいしかった。

ブルーベリーは、地に這うように生えているので、しゃがみ込んで小さな葉の陰をよくよく探さないと見落としてしまうほど小さな粒だ。それを少しずつ集めて、ビンやカゴが一杯になると、湯気の立ったクネドリーキが目の前にぽっと浮かんできた。

採れたてのブルーベリーのクネドリーキはおいしいのに、困ることがひとつあった。食べると、お歯黒をしたように、口のなかが紫色に染まる。ある日、バビチカの口元を見た私たちが、「バビチカの口、真っ黒だあ」といって笑ったとたん、バビチカが不機嫌になって席を立ってしまったことがある。「おばあちゃん、冗談よ」と娘のピアノの先生になだめられていたバビチカ。紫色の口をふがふがさせながら「そんなふうに大人をからかうもんじゃありませんよ！」と本気で怒っている姿が、また私たちの笑いを誘った。

石づきがぽってりとして、ビロードのようになめらかな茶色の笠をしたキノコは、キノコの王様と呼ばれるフジップだ。

私たち子どもが、たまたまフジップを見つけると「これは最高においしいキノコだよ」と大人に感心されて得意になった。だが、キノコ狩りに行くときは、経験者と一緒でないとキノコを見極めるのは難しいし、危険なことがある。キノコの種類は多く、食べられるキノコそっくりの毒キノコもあることが、大人と森を歩くうちにだんだんわかってきた。

そんなとき、バビチカは「キノコをかしてごらん」といって笠の部分を手でさくっと割ると、断面をそっと舌にくっつけた。「これはだめだ」とバビチカがいうと、私や妹は「バビチカったら、毒キノコを口につけて死なないの？」とおっかなびっくり聞いたのだった。

キノコがたくさん採れたときは、さっそく昼ごはんに登場した。フライにして、ゆでジャガイモを添えて、タルタルソースをつけるというシンプルなもの。キノコはスライスして乾燥させれば保存食になり、冬に体を温める、ニンニクが効いたポテトスープに欠かせない材料となる。

70年代の社会主義時代は、冬になると野菜や果物が極端に少なくなった。チェコ人にとって、海外旅行は夢のまた夢。休暇はたっぷりあったので、ひと夏を別荘で過ごす人は多かった。夏のあいだにスライスしたキノコを干し、ベリー類、アンズやサクランボは砂糖で煮て、コンポートやジャムにしてビン詰めにした。こうした冬のための保存食作りも、チェコ人の大切な生活の一部になっていたのだが、なんでも買える今はどうだろうか。戦後なのに〝ないことが当たり前〟という日常を、日本人の私が子どものときに経験したことが、かえって私の人生をより豊かにしてくれたように思う。

上：ミリチーンのバビチカの家の庭で、昼食後みんなでくつろぐ。右からピアノの先生、バビチカ、私、ピアノの先生の息子イェルカ、父

下：サクランボの木に上って食べたり、たき火をしてソーセージを焼いた丘

森のなかの学校　スクレナーシカ

親元から離れて行った森のなかの学校

「スクレナーシカ」と聞いたとたん、懐かしさで胸がいっぱいになる。

スクレナーシカは、学校行事で訪れた思い出深い場所。小学校4年生のときに行った「森のなかの学校」という移動教室。プラハの親元を離れて、先生や同級生と、秋の2週間を共に過ごした。

この「森のなかの学校」の舞台になったのは、おとぎ話に出てくるような、森のなかにぽつんと1軒だけ建つ白い館と、広い庭。庭には、噴水だったと思われるものもあった。ここの館と敷地はその昔、伯爵か資本家が所有していたと思えるような立派なものだった。きっと社会主義時代に国に没収されて、学校関係の宿泊所となったのだろう。

庭が広いだけでなくて、管理人さん一家の飼ういろいろな種類の犬や猫もいたし、孔雀も優雅に庭を歩き、都会っ子には信じられないような恵まれた環境だった。館の1階にあった大きなサロンは、食堂、教室、ミーティングルームとして使われた。幅広の階段を上ると2階が寝室だった。女子10人ほどのベッドが、見事にずらっと並んで入るほど大きな部屋。

この「森のなかの学校」に、なぜか当時4歳の保育園児だった妹も参加していた。妹にも、森のなかでの共同生活を体験させようと、親が先生に頼んだのだろう。驚くのは、すんなりと受け入れられたことだった。小学校の先生が、4歳の外国人の子どもを預かってくれるなんて、どこまで懐が深いのだろうと思う。担任のフリノヴァー先生は、妹をかわいがってくれたし、友だちもよく相手をしてくれたのだが、姉としては泣きたくなることもたびたびあった。

外に出るときに、妹のひも靴（チェコは小さいころからひも靴をはく）を結んであげているあいだにみんなはとっくに集合していて、いつも最後になってしまった。妹のことではほかにも、ちょっとドキッとする事件があった。館で働くおじさんが酔っ払って夜中に女子部屋へ忍び込み、妹の頬に触ったらしかった。妹が大声で泣いて大騒ぎになったが、そん

上：工作の時間に王冠とスカートを作る。写真が残っているのは母が撮ったからか
下：教室にて。午前中は勉強、午後は森を散策。夕方にはたき火をしてジャガイモを焼くことも

なときは本当に親がいないことが心細く感じたものだった。

「森のなかの学校」の毎日はプラハの学校とはだいぶようすが違っていた。朝食の後、午前中いっぱいは担任のフリノヴァー先生の授業が行なわれたが、先生もなんだかのんびりしていた。工作も時間をかけてゆっくり作ったし、教科書を開いてみっちり勉強させられた記憶がない。チェコでは宿題はもともとないので、夜はゲームをしたり、おしゃべりをする自由時間がたっぷりあった。

おとぎ話を聞きながら森の奥へ、奥へ……

また、プラハの小学校では給食がなかったので、昼食の時間にみんなと食べるごはんも楽しみのひとつだった。キノコのスープやクネドリーキ（蒸しパンのような添え物）やジャガイモの料理。おやつには、黒パンのサンドイッチやコラーチ（焼き菓子）が出ることもあった。午後になると「森の散策」というのが日課にあり、しっかり厚着をして森へ出かけたのだが、少し寒くなった森のなかを、枯れ枝や苔（こけ）を踏みしめながら歩く。先生の、自然についての話やおとぎ話、伝説などを聞きながら森の奥へと歩いていくのは、幻想的だった。日一日と秋の深まる森は、ときに私たちを守ってくれているようにも感じ、ときに言い知れぬ怖さも秘めているような、そんな不思議な体験をしたスクレナーシカだった。

1999年の夏。森のなかのガタガタ道を車でしばらくゆくと、視界がぱっと開けた。見覚えのある風景だった。「スクレナーシカへ行ってみたい」という母の希望で、母の大学の友人ミロニュに運転してもらい、道の途中で人に尋ね尋ね、ようやくたどり着いた。初めて「森のなかの学校」へ来てから30年近く経っている。管理人さん一家は、もうそこには住んでいなかった。館は、ちょうどレストランかホテルにするために改装中で工事の人が出入りしていた。館のテラス席で、お茶を飲みながら館を眺めると、案外小さく感じた。30年という時間が流れ、スクレナーシカの役割も変わり、人も変わった。変わらないのは館の外観と美しい庭。

スクレナーシカという地名が、「窓ガラスなどを扱うガラス職人」という意味があると、ここへ来る車のなかでミロニュに教わった。壊れやすい思い出は、そっと心の奥にしまっておくことにしよう。テラスからぼんやりと目の前の館を見ていると、幼い自分や友だちが今にも動き出すような気がした。

聖ミクラーシュの12月

プラハで迎えたはじめての冬のこと。12月ともなると吐く息は白くなり、私たち子どもが帽子を忘れて出かけると、「帽子をかぶらなきゃだめよ」と、よそのおばさんに声をかけられた。空がどんよりと曇った日が多くなるが、クリスマスが近いせいか、みんなはどこかうきうきとしているように見えた。そんな楽しいはずの季節に、子どもにとって一生忘れることのできない、チェコならではの、背筋の凍るようなできごとがあった。

悪魔がうちにやってきた!?

ある晩、父の留守中にドアのベルが鳴り、母がドアを開けに行った。すると、3歳の妹と遊んでいた居間へ、突然なにか黒っぽいものが押し入ってきた。それは悪魔だった。

チェコの絵本で見たことがある、あの悪魔。角が2本に長いしっぽ。手に鎖を持ち、舌で「ベロベロレロレロ」という奇妙な音を立ててこちらへ向かってくるではないか。その横には、白いひげの、白い服の人がいるのにも気がついた。羽のついた天使もいる。わっと泣き出してテーブルの下に隠れた妹。立ち尽くす私。母もびっくりしている。

その悪魔が、「こっちへ来い」という身振りをしきりにするのだった。悪魔は、テーブルの下に隠れた妹を見つけるなり引っ張り出そうとしたので、妹は泣きじゃくった。だが、抵抗もむなしく妹と私は、悪魔と白い服を着たひげの人と天使の前に並ばされたのだった。

「お母さんの言うことを聞いて、いい子にしていたかね?」と白い服を着た人に聞かれたときには、緊張しながらうなずいた。すると、ひげの人はオレンジを手渡しながら「じゃあ、これからもいい子でいるように。悪いことをしたら、今度は悪魔が炭をもってくるからね」そう言って、ようやく帰っていった。

あらかじめ親同士打ち合わせを

これは、12月6日の、聖人ミクラーシュ(カトリック司教。英語圏では「聖ニコラス」と呼ばれる)の日にちなんだチェコの伝統行事で、前日の5日に、聖ミクラーシュは悪魔と天使をつれて、子どもの家をまわる。その役割分担は、子どものいる家のご近所同士で申し合わせておくという。親は、ミクラーシュの形をしたチョコレートなどのお菓子や果物を、こっそりミクラーシュ役に渡しておくというからくりだ。

朝寝坊の子どもや、ニンジン嫌いの子どもに手こずる親は、ミクラーシュにそっとそのことを報告しておく。なにも知らない子どもは、ミクラーシュが「ニンジンを食べないで、いつもお母さんを困らせているね」などと言うと、飛び上がるほどびっくりするのだった。

2004年の冬にチェコへ行ったとき、聖ミクラーシュの伝統行事は、今でもチェコで行なわれていることがわかった。数日前からプラハのアパート入り口ドアに、こんな紙が張られていた。

〃ミクラーシュ、天使、悪魔

もうすぐ12月5日のミクラーシュの日です!!!

お宅のお子さんがいい子だったら、この日は喜ばせてあげませんか? 悪い子だったら、ちょっとおどかしませんか? 当方は、ミクラーシュの経験が豊富で、お子さんのことがよくわかります。ご興味のある方はお電話をください。お宅までうかがいます。

ミクラーシュと仲間より〃

12月をチェコで過ごして、ミクラーシュの伝統行事が、私たちが住んでいた70年代に比べるとずいぶん派手になっていることがわかった。

12月5日。友人から次のような電話をもらった。

「外に出てごらん。ミクラーシュや悪魔にたくさん会えるよ」

母と妹と出かけると、歩道や教会の前の広場や地下鉄のホームまで、ミクラーシュや悪魔、天使の格好をした若者に大勢出会った。旧市街広場では、ちょうど大きなクリスマスツリーの点灯を待つ人びとで広場は埋め尽くされていた。赤く光る悪魔の角を頭に載せた子ども。大型犬を連れた悪魔。おちゃめな天使の女の子たち。

子どもが悪魔に泣き出すほど怖い、厳かな雰囲気はそこにはなかった。でも、チェコの伝統行事が、また少し形を変えながら新しい世代に伝承されているのを肌で感じた。

クリスマスが近づくとイブの料理に欠かせないコイが、外のいけすで売られる

チェコのクリスマスイブは家族だけで静かに祝うもの。それを知らずにレストランに行くと開いていなくて、私たちはピアノの先生（前列中央）の家に押しかけた

ミーシャ

チェコ語と日本語のあいだで

義務教育が9年制のチェコスロバキアで、3年生から5年生まで通っていた学校はプラハ10区のヴ・オルシナーフにあった。日本のように〇〇小学校、というふうに名前はついていない。プラハに住み始めた1970年ごろは市電とバスのみが通る、のどかな地区だった。歴史を感じさせる校舎は、地下鉄のストラシニツカー駅ができた今なお、同じ場所にどっしりと建っている。

当時は日本人学校がなく、10人足らずの日本人小学生はインターナショナルスクールに通っていたが、私だけは父の方針で現地校に入った。

自宅から学校まで、歩道も広い並木道を一直線に歩いて10分足らず。ひとクラス20人ほどのA組の担任は、ブロンドの30代の女性、ダナ・フリノヴァー先生だった。

フリノヴァー先生は、はじめのうちは午前中の授業が終わると、毎日自宅まで来て1年生の教科書を使って私に熱心にチェコ語を教えてくださった。

母が大学の建築学科の聴講生となって忙しくなると、ピアノの先生のお母さん、バビチカが住み込みで、私たちの面倒をみてくれることになった。私と妹は、バビチカの作るチェコ料理を食べ、寝るときもバビチカにおはなしをせがむ毎日。保育園に通う妹とは、次第にチェコ語で話す方が多くなっていたが、親に見つかると日本語を使うよう厳しく言われた。

突然の父の提案

プラハの日本大使館で行なわれていた日本語の補習授業に週に1回出ていたものの、いざ日本に手紙を書こうとすると思うように漢字が書けなくなっていた。そんな私を心配したのだろう。ある日、父は神妙な面持ちで切り出した。

「このままチェコにいると、帰国してから日本の学校の勉強で苦労をすることになる。家族と離れて暮らすのは寂しいだろうが、先に帰国してパパの育った家でおじいちゃん、おばあちゃんやいとこたちと暮らして、日本の小学校へ行ってはどうだろう」

すんなりとその提案を私が受け入れたのは、日本でも楽しい学校生活が待っていると信じていたからだった。

1973年2月、チェコ滞在が2年半になったころ、私は帰国することになった。学校の近くにあったホテル・ソリダリタ（ソリダリタはチェコ語で「連帯」）の会場で、両親は私のためにお別れパーティーを開いて、学校の友人やお世話になった知り合いを招いてくれた。

最初に友だちになったヤナの家族のノヴァーコヴァーさん夫婦、ギリシャ人のアティンカの家族、ミリチーンでキノコ狩りをしたピアノの先生や息子のイェルカ、親友のミーシャ、冒険ごっこやスキーにつき合ってくれた男の子ヴラージャ、いつも勉強の面倒をみてくれた優等生のイレンカたちとご両親、そしてフリノヴァー先生ご夫妻、お兄さんのように慕っていた建築学科の学生ミロニュ。私たちの大事なバビチカ。「日本に帰っても、元気でね」と別れを惜しんでくれたが、私はまたすぐチェコに戻って来れるような気がし

小５のとき、日本にひとりで帰ることになって両親が開いてくれたお別れパーティー。私の左隣がミーシャ

ていた。

〝チェコ菌〟

帰国して、東京のおばあちゃんの家で数日間過ごした後、父の郷里へと移動した。５年生で編入した小学校の登校初日。先生は私をチェコスロバキアという遠い国からひとりで帰国したと紹介してくれた。だが、クラスの子どもたちの反応は、予想に反して冷ややかなものだった。ヨソから来た者への恐れからか〝チェコ菌〟と男子に言われ、女子も私を遠巻きに見ているだけで、誰も話しかけようとしなかった。大きな体でぎゅっと抱きしめてくれたフリノヴァー先生や、「ねえ、日本の話をして！」と目を輝かせて集まってきたチェコの同級生を思い出し、その落差に驚く

と同時に、ある疑問が生まれた。

（どうしてチェコで外国人だった私は親切にされて、日本では同じ日本人から仲間はずれにされるの？）

夢に現れた私のこころ

6年生の夏休みを迎えたある日のこと。私はチェコ語で手紙を書く夢を見た。

「ミーシャ、お元気ですか。私は元気です。みんなと別れて日本に帰ってから、半年が過ぎました。もといた東京の小学校ではなく、お父さんの故郷の小学校に転校したので、最初は友だちもできず、日本の勉強に追いつくのが大変でした。

ミーシャとは、食堂のランチがいやで、ポテトサラダとパンを買って、お店で立ち食いしたっけね。フリノヴァー先生と、クラスのみんなは元気ですか？

今すぐにでもチェコに飛んで行って、ミーシャと夏休みに過ごしたドブジーシの別荘行けたら、どんなにいいでしょう。ドブジーシでは池の向こう岸まで、大人にないしょで泳いだよね。ああ、大好きなチェコ。でも、日本からはとってもとっても遠いのです」

ミーシャに会いたいという、ありったけの気持ちを込めて手紙を書いている、夢のなかの自分。

『長くつ下のピッピ』のように正義感が強かったミーシャとはとても気が合った

目がさめると、ねっとりとまとわりつくような寝汗と、もあっとした湿気を含んだ空気に「ああ、ここは日本なんだ……」とがっかりして、汗とも涙ともつかない濡れた頰をぬぐった。

目をつぶれば、ミーシャの姿が浮かんだ。私の一番の親友で髪はブロンド。やせっぽちで、身長は私と同じくらい。学校の帰りに「や〜い、へんてこな顔の外人！」などと私がからかわれようものなら、見上げるような上級生の男子にもひるまず「今、なんて言ったの？　彼女は日本から来ているのよ。でたらめ言わないで！」と言い返す元気のよさは『長くつ下のピッピ』の主人公ピッピのように頼もしかった。

「ミーシャに会いたい。ミーシャは今ごろどうしているかな……」

ゆっくりと、確実に月日は流れ

中学校1年生の秋に両親と妹が帰国すると、私たち家族は再び東京に住むことになった。片時も忘れたことがないチェコ。でも、友人と手紙のやり取りもないまま時が過ぎ、ただ古い写真を眺めるときと、持ち帰った絵本を開くときだけ、私は静かにチェコの世界へ浸ることができた。

ようやくチェコスロバキアへ行く機会が訪れたのは、1982年、20歳のときだった。1980年からモスクワに住んでいた両親と妹を、大学3年の夏休みに訪ねた。すると、母は目を輝かせて思いがけないことを言った。

「モスクワからプラハまで、寝台列車なら2昼夜で行けるそうよ。鉄道の旅っておもしろそうだし、思い切って行かない？」

モスクワからプラハまでの旅は、社会主義時代の国境警備の厳しさに緊張し、アルミの器で運ばれてくるまずいロシア料理にも閉口した。チェコスロバキアに入り、プラハまであと少し、というときに隣のコンパートメントが騒がしくなった。チェコ人のグループが、ビールを飲んで気勢を上げていた。息をひそめるようにしていた彼らも、ホッとしたのだろう。列車はときどき停車しながら、やがてプラハ本駅へゆっくり入っていった。10歳のときに離れて以来、心のなかで思い出は決して色あせることはなかったチェコ。プラハの町並みが見えたときには、私も母もこみ上げるものがあって、「もうすぐプラハに着くね……」と言ったきり、後は言葉にならなかった。

再会

ちょっとすすけたプラハの町の印象は、記憶にあるプラハの町そのものだった。母も市電の窓から、あのお肉屋さんがまだ同じ場所にあるわ、あの辺も変わらないわね、と懐かしそうに指をさす。ビアホールから漏れるどやどやという話し声とジョッキのぶつかる音。アパートから漂う肉の煮込み料理の匂い。店では並んで順番を待ち、品物を店員に言って買う方法も昔と変わっていない。石畳の道路に、赤い市電が行き交う町。

10年も使っていないチェコ語は錆(さび)ついて、簡単な内容なら理解できたが、私からは思うように言葉が出てこなかった。当時、私よりチェコ語が話せた母が頼りで、同級生と会う約束をとりつけてくれた。ミーシャ、エヴァ・パルシコヴァー、マルシカ、ヴラージャ。

10歳で別れ20歳で再会したミーシャ。チェコ語が出て来ず、10年分の思いを伝えられなかったのが悔しく、チェコ語を勉強するひとつのきっかけになった

街中で最初に同級生と再会したときは、自分のことはさておいて、「え～っ、ミーシャもエヴァもマルシカも、こんなに大きくなっちゃったの」と、すっかり大人びたみんなの姿に驚いた。

ミーシャは、背がすらっと伸びて、ブロンドのストレートの髪が肩の辺りで揺れる清楚な女性になっていた。再会の喜びをどう言葉で表現したものか、チェコ語を忘れてしまっていることのふがいなさが、自分を無口にさせた。ミーシャは経済学を専攻する大学生だった。

「ミーシャに会いたくて、日本でもよく夢に見たよ」とか、思い出話をして笑いたいのに、会話が続かない。それでも、気になっていたことをやっと聞くことができた。

「ミーシャ、ドブジーシのハタ（別荘）は？」

昔、ミーシャのお父さんが、日曜大工でひとりコツコツと別荘を建てていたことを思い出したからだ。すると、「ようやくトイレが完成したところよ。シャワーはまだなの」と、くったくなく笑った。

私たち姉妹は子どものころ、夏休みに両親がヨーロッパの他の国を旅行しているあいだ、フリノヴァー先生に預けられ、先生の夫の実家があるドブジーシに滞在したことがあった。偶然にも親友ミーシャの家族の別荘もドブジーシにあって、私たちはよく一緒に遊んだ。

苦しさのなかで聞いた声

ヴラージャは早くも結婚して、まもなく父親になるという。同級生と彼の家を訪ねたときのこと。私はおしゃべりで盛り上がるみんなのようすを、半ば夢見心地で見ていた。一緒に遊んだ日々が、ふとよみがえった。ヴラージャとふたりで暗号を作って、学校で手紙のやり取りをしたり、放課後はみんなと外でかけまわって遊び、リンゴやナシを木からもいで、つかまらないように逃げたこともある。参観日の劇での配役は、私が白雪姫でヴラージャが王子になって冷やかされ、ミーシャは小人役だったっけ……。

ああ、もっと早くチェコに来ていれば！　同級生との会話に加われない自分がもどかしかった。

そのとき、私のなかの小さな固いつぼみが、音をたててはじけたように感じた。自分の思いを伝えられないままでいいのだろうか。子どものころチェコで体験したことは、アルバムの写真のようにしまい込んだとしても、その先いったい自分は……。

10年ぶりの友との再会で、思いを伝えられない苦しさは、やがて伝えられるようになりたいという、強い意志へと変化していった。自分にとって懐かしいチェコは、やはり子ども時分にあたたかく迎え入れてくれた「心のふるさと」だった。

チェコ語をもう一度勉強して、まずは言いたいことを伝えられるようになろう。私を育んでくれたチェコの風土や文化を紹介できたら、それは多くの人への恩返しにもなるかもしれない。〝私のなかのチェコを忘れないで〟、というもうひとりの自分の声が聞こえたようだった。

ふたたびの別れ

プラハでの2週間の滞在はまたたくまに過ぎた。出発の日、日に1本しかないウィーン行きの国際列車に乗り遅れそうになって、母とミーシャとホームを目指して走っていた。

ぎりぎり間に合い、座席に荷物を置くと急いで窓を開けた。

「ありがとう、ミーシャ。また会おうね！」

「Yukoチェコにまた来る？」

「うん。チェコ語の勉強に来るかもしれないわ」

「そうなの!? じゃあ、また会えるわね」


1982年当時、社会主義国チェコスロバキアでは、人びとは西側諸国へ自由に行き来できなかった。再び会おうと思えば、私がチェコへ来るしかないことは、お互い言葉にしなくてもわかっていた。

ミーシャがオーストリアの隣国に生まれながら、まだ一度も見たことがないウィーンへ向けて、私と母を乗せた列車はゆっくりと走り出した。お互いにずっとずっと手を振るのを止めなかったが、ミーシャの姿はやがてけし粒ほどになって、見えなくなった。

2 留学時代・ドイツ時代

はげ鷹クラブ

気が張り詰めていたプラハでの大学生活

子どものときのチェコの思い出は、一つひとつがあたたかく楽しいものだった。家族とたくさんのチェコ人に囲まれて、不自由と感じることもなく、なんの心配もなく小学校に通っていた。

それから10年あまり経った80年代半ばに、今度はひとりでプラハの大学に留学することになった。ところが、夢をふくらませて渡ったチェコでは、〝社会主義の国に外国人の女性がひとりで暮らす〟という厳しい現実が待ち受けていたのだった。

大学に通い始めてまもなくのころ。喫茶店に4人の学生で入ったことがある。初対面だった男子学生のひとりが、お茶を飲みながら言った言葉にあ然とした。

「このテーブルに4人座っているけど、もし、このなかにスパイがいたとしたらどうする？　絶対いないって、君は言える？」

日本では、スパイなんて言葉は、映画や小説のなかでしか聞いたことがなかったから、返答に困っていた。すると学生はさらに続けた。

「人が4人揃ったら、そのなかの1人を疑えって。これ常識だよ」

この学生とはそれきり会うことはなかったが、言われた言葉が脳裏に焼きついて離れなくなってしまった。

それはまだまだ序の口で、

「最初から親しげに外国人のあなたに近づく人には注意しなさい」

「外国人の電話は必ず盗聴されていると思った方がいい」

「外国人の手紙は開封されてから届くらしい」

「完全に信頼できる相手かどうか、また安全な場所かどうか見極めてものを言うように」

「どんなに換算率がよくても、路上での外貨両替は罠だから、決してしないように」

そんなアドバイスを受けて、日ごとに神経がすり減っていった。

閉塞感のある生活のなか〝はげ鷹クラブ〟へ

冬が近づいていた。

当時のチェコスロバキアは、社会主義諸国のなかの優等生といわれていて、肉やパンや乳製品はいつでも買えた。でも、冬に買える野菜はジャガイモとタマネギとしなびたニンジンだけ。慢性的な物不足。買い物に行けば行列に並ぶ。おまけに窓口や店員はどこも不親切ときている。言論、表現が制限された沈黙の世界。自由に旅行できないチェコ人を覆う閉塞感。知人から聞く密告や裏切りの話。亡命に成功した人の話。大人の目は、死んだ魚のように見えることがあった。

再びチェコに来たいとあれほど思い詰めてやっと留学できたのに。思い出のなかの子ども時分とは違い、現実世界は日本から来た女性にとってはあまりに過酷だった。

あやうく人間不信に陥りそうになったとき、救いの主が現れた。カレル大学日本語学科在学中から、読売新聞プラハ支局で父のアシスタントとして働いていたマルティン・ヴァチカージュ。日本語の通訳として、私たち家族はいろんなことでヴァチカージュ家にお世話になっていたので、チェコの親戚のように思っていた。

ある日、マルティンに誘われた。

「ぼくたちの〝はげ鷹クラブ〟においでよ。週に1回仲間で集まってエアロビクスをして、その後ビアホールに行って一杯やるから」

クラブの名前の「はげ鷹」は、チェコ民族の身体的強化と民族意識の高揚を目的として19世紀中ごろに設立された体育協会「ソコル（鷹）」をもじったものだという。

「〝体操と交流〟を目的に、20代から30代の映画監督や建築家、女優やカントリーシンガー、心理学者なんかが来ているから、来たらきっとおもしろいと思うよ」

さっそく私も参加することにした。エアロビクスでひと汗かいた後に決まって寄るのが、旧市街広場からのびるツェレトナー通りのビアホール、ウ・スパ（はげ鷹）。ビアジョッキを傾けながら、ひとりずつ話す政治や、エロティックなフティップ（小話やジョーク）の落ちに大爆笑して、得も言われぬ爽快感を味わった。絶対的に信頼のおける仲間ならではの、うちとけた顔と安心感の漂う空気が、〝はげ鷹クラブ〟にはあった。

エアロビクスだけでなく、映画館では非公開だったアメリカ映画『ディア・ハンター』のビデオを、女優の家に集まって、カーテンを閉めて観たり、週末や休暇にはメンバーの別荘へ出かけ、冬は森でクロスカントリースキーを楽しんだ。

上：プラハのカレル大学に留学中の1985年ごろ。恋焦がれてチェコへ来るも、社会主義国の未来が見えず、閉塞感に息がつまりそうになることもあった

下："はげ鷹クラブ" に誘ってくれたマルティン・ヴァチカージュは日本語ができ、父の初代アシスタントを務めた兄のような存在。ヴァチカージュ家と4世代にわたり親戚のようなつき合いが続く。2004年ごろプラハで

協調性のないメンバーたち、その理由は……？

数ある思い出のなかでも、語り草になっているできごとがある。マルティンの親が所有していた、北ボヘミアはズデーテン地方の別荘に行ったときのこと。ドイツ系住民が住んでいたと思われる木組みの美しい家だった。マルティンの親は戦後、使われていなかった家を破格の値段で入手したという。

真冬。〝はげ鷹クラブ〟の仲間と、車のドアに穴が空いていて風が入る前代未聞のポンコツ車にぎゅうぎゅう詰めになって移動した。マイナス10度近くまで気温が下がった日に別荘に到着すると、薪ストーブで火をおこしても、すぐに家のなかは暖まらなかった。みんな、しばらくは部屋のなかでもコートや帽子をかぶって、がたがた震えながら過ごした。震えながらお茶をすすり、誰もが動きたがらず、お茶のお代わりを入れてくるのは誰だ、といつも通り、〝はげ鷹クラブ〟の面子らしい丁々発止のやり取りになった。

「キッチンに一番近い君が行けよ」とちょびひげの心理学者で、皮肉屋で通っているヨゼフが言えば、「そんなのは、飲みたい人が作ってくればいいのよ」と、口から生まれてきたような女優が応戦する。

「そうだ。ここには素晴らしい日本人女性がいるじゃないか。日本人女性は、こういうときにはさっとお茶を入れて来てくれるはずだよね？」

ヨゼフのこのひと言に、私のなかのなにかが反応してしまった。やりきれない思いがしてキッチンではなくてトイレに入った。すると、とめどなく涙があふれてきた。この人たちに協調性はないのだろうか？　みんな、なんて自分勝手なんだろう。皮肉や相手をやっつける言葉だけは達者だ。信頼しきっていた仲間から受けた扱いに傷ついた。

しばらく冷凍庫のようなトイレにこもっていると、マルティンが私を探しに来た。みんなはことのなりゆきに驚き、さすがに同情してくれているようにも見えた。でも、「トイレに入ってめそめそしていた日本人女性」の話題はすぐに、マルティンたちの笑いの種になってしまった。私は次第に、こうして言葉が達者で自分勝手な仲間に鍛えられていった。

“はげ鷹クラブ”が必要とされた時代

マルティンと2004年の冬に再会した折、例のトイレ事件の話題になり、ひとしきり笑った後で、当時のことを振り返って彼がいった。

「Yukoがあのとき言った『みんなで協力してやりましょう！』的なものは、日本なら普通かもしれないけど、彼らにとって集団主義や政治的スローガンを思い出させるネガティブなものとして受け取られてしまったんだよ。僕たちは、日常的にいやというほど聞かされて、うんざりしていたからね。それから〝はげ鷹クラブ〟の掟のひとつに『他人に情け容赦なく皮肉を浴びせる』というのがあったの、知らなかった？　みんな相当鍛えられた連中ばかりだったから、Yukoにはちょっと可哀想だったかな」

〝はげ鷹クラブ〟は、あの社会主義の時代に、知識人やアーティストが、かろうじて精神のバランスを保っていくために必要なものだった。不条理の世を生き抜く彼らの知恵に今さらながら驚き、20年を経て私もようやく実感できるのだった。

〝はげ鷹クラブ〟は、ビロード革命後に自然消滅して、メンバー同士もめったに会わなくなったという。同じビアホールに毎週集まる、あんなに親密だった人間関係がなくなったのは寂しい。彼らにとって、〝はげ鷹クラブ〟がどのような存在だったのか、いつか再会したときに聞いてみたいと思った。

プラハの屋根裏生活とペピークの田舎

プラハの大学生

1984年9月、プラハのカレル大学へ留学することが決まっていた私は、同じ時期にベルギーの美術大学の夜学に通うことになっていた母とブリュッセルで合流し、プラハへ鉄道で入った。そして、私たちは70年代にお世話になったおじさん、おばさんや友人を訪ね歩いて、これからプラハへ留学しますのでどうぞよろしく、と挨拶(あいさつ)をしてまわった。82年に母とモスクワから列車でプラハまで旅したときから2年が経っていた。

チェコスロバキアへ留学する場合は寮に入り、二人一部屋ということが多いと聞いていた。私の場合は、母の友人のおかげで、屋根裏部屋のアトリエを借りてひとり住まいができることになった。プラハ美術工芸大学建築学科の聴講生だった母の上級生、イェルカ・アンドゥルレのアトリエは、「絵を描く場所」というよりも「住まい」に改装してあった。
丸いテーブルと間接照明のあるすっきりしたキッチンと、広めの部屋がひとつと洗面所とトイレ。学生には十分の広さだったが、シャワーと洗濯機はなかった。屋根裏部屋なので、ここまでセントラルヒーティングはきておらず、石炭ストーブが備えつけられていた。

「コンニチハ!」

こうして留学生活のための準備をしていたある日のこと。とても暑い日で、プラハのナーロドニー通りで水を買おうと、ほの暗い店に入っていった。バーカウンターだけの小さな店。母と話す声が聞こえたのだろう。いきなり「コンニチハ!」と、背後から日本語で声をかけられた。
「えっ、日本語ができるんですか?」と私はチェコ語で答えた。すると「ほら、やっぱり日本人だ!」と、誰かと賭けていたかのようなせりふ。「でも、どうしてチェコ語ができるんですか!?」とふたりの男性が身を乗り出して聞いてきた。分厚い眼鏡の人は、ウッディ・アレンによく似た人だった。首に下げているものを見せて「ト イェ ヤポンスキー

（これは日本のだよ）」と言った。5円玉の穴に鎖を通してネックレスにしていた。さらに日本へ団体旅行で行ったことがあるとか、日本人の友人でKimuraという名前のデザイナーがいる、と矢継ぎ早に話した。これが、ペピークとの最初の出会いだった。グラフィックデザイナーのヨゼフ・ヴァーレクは、ポスターの仕事の打ち合わせでモラヴィア地方から友人とプラハへ日帰りで来ていた。ペピークというのはヨゼフの愛称で、友人になってから、私もヨゼフをペピークと呼ぶようになった。

東西冷戦のさなかだったので、社会主義国チェコスロバキアのプラハに、日本人観光客の姿はほとんどなかった。日本のパスポートを持っていても、母の住むブリュッセルへ行くためにも、あらかじめ再入国ビザを取得するため、学校の事務局やビザの申請に最低3週間前から準備しなくては間に合わなかった。そんなときは、閉ざされた国に住んでいることを実感した。

私がカレル大学に通い始めてしばらくすると、留学生のあいだにも学生の密告者が紛れているぞ、と脅され、それからは壁に耳あり障子に目ありと思いながら、緊張して生活する日々。近づいて来る人のことははじめから警戒し、疑いの目で見ようと思えばなにもかもが怪しく見えた。まったく、なにを信じればいいのか、わからなくなってきた。つき合

プラハで開催された日本の「包む」展を観に、モラヴィアからグラフィックデザイナーの Josef Válek（通称ペピーク）が来た

うのは、毎日の授業で会う数人の外国人学生。そして、私を子どものころから知ってくれている、チェコのおじさんやおばさんたちだった。

もし、モラヴィアに住むペピークの家族がいなかったら、私は社会主義国チェコスロバキアの留学生として、あらゆることに耐えられたかどうか。そんな私の気持ちを察知したのかどうか、ときどきペピークから明るい声で電話がかかってきた。

「Yuko 元気かい？　学校が休みになったらヴァラシスコに泊まりにおいで。おじいちゃんもおばあちゃんも、楽しみに待っているよ」

チェコのふるさとヴァラシスコ

なだらかな丘陵地が続く北モラヴィアのヴァラシスケー・メジジーチー。ペピークの家族の家は、町はずれにあった。家が4、5軒ある以外は麦畑が広がり、遠くに鉄道が走っているのが見えた。ペピークの両親が自分たちで建てた家には、なだらかな斜面の庭があって、大きなくるみの木が枝を広げていた。うさぎ小屋には何匹もうさぎがいて、抱かせてもらった。まわりの田舎らしい風景のなかにある、ペピーク一家の小さな一軒家のなかは、意外にも照明や家具にこだわったモダンなインテリアで統一され、当時は西側諸国にしかないような照明器具やキッチンの道具があり、驚いた。手作り家具やオブジェ、写真やペピークがデザインしたポスターなどが壁を飾っていた。

「ペピーク！」と、極度の近眼だったペピークのお母さんはいつも息子を大声で呼んでは、料理を手伝わせ、おいしいご飯を作ってくれた。おっとりしたお父さんは、にこやかに庭の手入れをしていた。

ペピークは、ヨーグルトやビールのラベルのデザインなどを手がけていて、地元ではちょっと知られた存在だった。毎日のように、誰かがペピークの家に立ち寄って、なにか携えてきた。ペピークはコーヒーでもてなし、みんなはしばらくおしゃべりをしていった。プラハでは、恐る恐る人に会い、緊張のなかで話をしていた私は、モラヴィアのペ

1986年夏、母と妹がベルギーから車でプラハへ。留学を終えた私と合流しモラヴィアのペピークの家に寄った。ペピークのご両親がお元気だったころ

ピークの家にいるときだけはくつろいで、心からみんなの会話に入って笑うことができた。プラハでは見たことがないような、おいしい自家製ソーセージをいただいて食べたり、手作りのお菓子もペピークの家にいつも誰かが届けるので、プラハとは違って、モラヴィアはこんなに食が豊かなんだ、と思った。

ペピークは、私を近くの町で行なわれている展覧会や、スカンゼンという野外博物館、チェコの児童文学の『ほたるっこ』の作者で牧師のヤン・カラフィアートが教区を率いていたヴェルカー・ルホタ地区の教会へ連れていってくれた。また、社会主義時代には国民芸術家という称号を持つ人がいて、ペピークのつてで、目を見張るような豪邸に住む芸術

家の家につれて行ってもらったこともある。緊張してお会いしたものの、夕飯は中庭でソーセージを焼いてマスタードをつけてパンと食べるという庶民的な人でホッとした。

私が児童文学を勉強していると知って、チェコの国民的作家、ボジェナ・ニェムツォヴァー作の『おばあさん』や『ほたるっこ』、地元の民話集などの本もプレゼントしてくれた。はるばる日本からチェコスロバキアへ留学している女子学生に、心からチェコの文化を吸収させたいという思いが、ひしひしと伝わってきた。中学生のとき、ジーン・ウェブスターの『あしながおじさん』を読んだ私は、チェコで自分を応援してくれるペピークをいつのまにか「あしながおじさん」と思うようになった。孤児院で育ったジュディを援助する「あしながおじさん」のように。

だから、私を待っていてくれるペピークの家族に会えると思うと、プラハから片道4時間の鉄道の旅はなんでもなかった。

プラハの町は魅力的だ。でも、プラハにいるとときどき息苦しくなった。おおらかで歌好きなモラヴィアの人たち、ペピークの家族の家に数日泊まれば、私はまた元気になって穏やかな気持ちでプラハへ戻ることができた。

厳冬とカモメ

いよいよ冬になり、暖をとることを考えた。石炭ストーブの焚きつけ方をイェルカから真剣に教わった。新聞紙と木っ端。はじめのうちは、失敗すると逆流した煙が部屋に充満して目が痛くなり、外気マイナス15度以下の日でも、窓を開けてひたすら換気をしなくてはならなかった。夜寝る前にストーブの残り火を確認して、明日無事に目が覚めますように、と祈るような気持ちで眠りについた。

石炭は、地下室にある各家ごとの石炭倉庫に取りにいかなくてはならない。長さ15センチ、厚さが4センチほどの楕円形をした石炭が山のように積み上げられていて、重いのでスコップでひとつずつやっとすくって、バケツに入れては運んだ。エレベーターはあったがときどき止まるので、石炭の入ったバケツを両手に下げて、屋根裏部屋のある6階まで上るはめになった。

石炭ストーブの扱いにもだいぶ慣れたころ、寒い日に外の温度計を確認して暖かい部屋から窓の外を眺めるのが好きになった。傾斜した壁の小さい窓から、遠くに赤い屋根が連なって見えた。

あるとき、カモメが飛んでいるのに気がついた。ヴルタヴァ川にもいることは知っていたのだが、「チェコには海がないのにカモメがいる」と、なぜかそのとき思った。そして、窓を開けてちぎったパンを放り投げてみた。カモメがそれを目指して飛んできた。だんだん数が増えて、空中で待機してえさを待っている。カモメたちは私が朝窓を開けるのを待っているのか、遠くからすぐに私を目がけて飛んでくるようになった。私はカモメがかわいくなり、パンをやるひとときをひそかに楽しんだ。

冬のある日のこと。珍しくベルが鳴り、ドアを開けると郵便配達が立っていた。現金を手渡されてサインをしてください、と言われた。なんだろうと思いながらドアを閉め、もらった紙きれをみるとそこにはメッセージが書いてあった。

「寒い冬、どう過ごしていますか。これで石炭を買って部屋を暖かくしてください。ペピークより」

「ペピークが……」私は目がかすんで字がよく見えなくなった。大寒波に覆われたチェコスロバキアで、私がひとりで凍えていないか心配し、石炭を買うようにと現金を送ってくれた。心のなかにぽっと灯がついた。

ペピークのまわりには……

留学が終わったのが1986年。その3年後の1989年にはビロード革命が起こり、共産党政権は打倒されて、チェコスロバキアは民主化の道を歩んだ。

私たちが、チェコへ毎年のように訪れる機会ができたのは2004年ごろからで、プラハに行けば、モラヴィアのペピークのところへも必ず行くようになった。会えば、お互いに何十年も前の気持ちに戻れる友だった。そして、両親が亡くなってひとりになったペピークのまわりを、いつも陽気で優しい仲間がとりまいていた。私は、留学中に応援をしてくれたペピークには、翻訳本が出るたびに欠かさず送っていた。チェコの本を翻訳する場合も、本を見せたい人、本を読ませたい人の顔が浮かぶと、やはり特別な気持ちが入るような気がする。私がペピークに送った本は、棚にきれいに並べて、訪れた人がすぐ目につくようにしてくれた。

次第にペピークは、自分のことを日本語で「Ojiisan」と呼ぶようになり、わざとよろよろと歩くふりをした。目や胃の手術を経て、何年も会えない期間があって心配していたが、2022年にようやく高齢の母と一緒にモラヴィアを訪ねてペピークと再会した。会えばやっぱりペピークそのものだった。母やペピークやみんなで再会できたことに感謝した。ペピークは暖房費が高いことや、自分の家の維持が大変だという話をしたかと思うと、「アメリカに移住した地元の親友は、飛行機での里帰りはもう無理だろう、会えないだろう」と言ってさめざめと泣いた。私はどんな話でも聞いて、ペピークのそばにいられるのが嬉しかった。

3泊して、母とプラハへ戻るとき、ペピークは「なんにもプレゼントを買えなかったから、これをあげたい」と、母と私それぞれに日本円にして5000円相当のチェコのお札を差し出した。それからが大変だった。返そうとすると、ペピークはいらないといって逃げ回る。おばさん同士のような、お金握らせ作戦が始まった。どこに現金を置いたらペピークが捨てずに見つけるか、母と相談してある場所へ置いた。

ペピークはいつものように、電車のなかで食べなさい、と朝から作ったサンドイッチや、ヨーグルトや果物など、たくさんの食料を持たせてくれた。そして駅には見送りに行かないから、と家の前でハグをして別れた。

母と電車に乗り込み、旅行かばんや食料の入った袋を車内で収めてホッとして、しめしめ今ごろペピークはお札を見つけたかな、という気持ちになってほくそえんだ。そして、電車が走り出してしばらくすると、ペピークにお礼の電話をかけた。ペピークの歌うような抑揚のある声が携帯電話から漏れてくる。

「Yuko僕のかわいいお嬢さん。リュックのポケットを開けてごらん」すぐに開けてみた。

料理上手だったペピークのお母さんは、いつもあたたかくもてなしてくれた。1993年ごろ

そこには、ペピークに返してきたはずの現金が入っていた！

「どうして返したのにまた入れたの？」という私に「持っていればなにかの役に立つから。いい、わかったね？」

私のあしながおじさん、ペピーク。本当にありがとう。ジェクユ（ありがとう）、ジェクユ。いつまでも元気でいてください。

東から来たアンゲリカ

未知の国、東ドイツの女の子

　チェコの大学に留学しているとき、外国人向けのチェコ語クラスで一番親しくなったのは、アンゲリカという女子学生だった。茶色の巻き毛のショートヘアに、ジーンズがよく似合っていた。赤ら顔で、少しおどおどと話す子だなあ、と思った。東ドイツ（ドイツ民主共和国）のイェーナ大学の神学部に籍を置いている学生で、プラハでチェコ語と神学を1年間学んでいた。

　アンゲリカの住んでいる学生寮は、プラハの中心部にあった。国民劇場のあるナーロドゥニー通りをヴァーツラフ広場からヴルタヴァ川に向かって歩いたところの、途中の迷路のような地区にあった。「寮にお茶を飲みに来ない？」と誘われると嬉しくて、すぐに

神学部のアンゲリカにお茶に呼ばれると、ろうそくに火が灯された。つたないチェコ語を使ってお互いの国の事情を熱心に聞いた

お茶によばれた。ヨハンナもお茶を一緒に飲むことが多かった。アンゲリカと同じ大学の同じ学部生だった。ロングヘアでおしとやかだけど、しっかり者という印象だった。アンゲリカは、紅茶を大きなポットにいっぱい作ると、ポットを温めるために固形燃料に火をつけ、ついでに部屋の照明も消すと、ろうそくを灯した。外がどんなに寒い日でも部屋は暖かく、紅茶とろうそくの灯にホッとしてくつろいだ。

ろうそくの炎を飽きずに眺めながら、覚えたてのチェコ語で日本や東ドイツの暮らしや、チェコで感じたことのあれこれを話した。日本の習慣や家族、女性の社会的地位についてよく尋ねられた。東ドイツもチェコ同様、西側の情報は国に管理されていたので、日本人の私を通じて聞きたいことがたくさんあったのだろう。

一方、私も、未知の国東ドイツについて興味があった。

ドイツといえば、子どものころプラハから両親と車で買出しに行った西ドイツのヴァイデンをすぐに思い浮かべた。ドイツは、第二次世界大戦後、国が東西に分断されて、東ドイツはチェコもそうであるように、政治的にソ連が率いる東のブロックに組み込まれた。

プラハのレストランでときどき見かけたのは、東西ドイツの差を象徴する光景だった。大声で騒ぐいかにも羽振りのいいグループは西ドイツからの観光客で、チェコ人に煙たがられていた。一方、目立たないように声をひそめて食事をしている外国人は、東ドイツ人ということが多かった。態度や服装からして誰の目にもあきらかなこの差。東ドイツの人びとは、西ドイツの人たちを、どんな思いで見ていたのだろう。

アールヌーヴォー建築が素晴らしいカフェ・エヴロパで紅茶を飲んでいるとそんな光景を目にすることがあり、「東西ドイツに別れて暮らす親戚などが、プラハで会うこともあるのよ」と、アンゲリカから聞いた。

ときおりちらつく不安のかげり

アンゲリカと話したなかでも私が驚いたのは、東ドイツで定められた〝旅行の制限〟についてだった。チェコ以上に厳しく、自分の耳を疑った。

「東ドイツでは、一般の人は定年を迎えないと西側へ旅行する許可が下りないのよ。両替できる金額も本当にわずかで、親戚や友人の援助がないと実際には無理ってこと……」とアンゲリカ。

当時、チェコ人は西側へ旅行したくても、ほぼビザが下りない状況だったが、ブルガリヤやユーゴスラビア、ハンガリーに夏の休暇で訪れる人が多かった。だが、東ドイツ人が訪れることができる国は、チェコとポーランドぐらいしかないとアンゲリカは言った。

話の内容がどんどん深くなっていくのに、チェコ語の語彙力がそれに追いつかず、歯がゆい思いもした。あるとき、アンゲリカのした質問で、今でも忘れられないことがある。

「チェコ語で〝怖い（strach）〟という単語を知っているけど、その反意語は？」

私もヨハンナも知らない、と首を振った。すると、アンゲリカが「私も知らないわ。それは、私たちの考えがいつも〝怖れ〟の方を向いているからなのよ。どうしていままで、反意語を知らないできたのかしら？」

みんなは押し黙ってしまった。彼女たちとの会話には、確かに〝私は～が怖い〟のような表現が頻繁に出てきたように思った。私は、チェコで感じていた自由のなさや、管理された社会の息苦しさがいやになったら、いつでも逃げ出すことができた。だが、彼女たちは自国の東ドイツに戻ればチェコと同じか、さらに厳しい現実が待っている。彼女たちが将来に抱く不安の影を、そのとき垣間見たような気がした。

はじめて東ドイツへ

3か月もの長い大学の夏休みを、どう過ごそうかと考えていたある日のこと。アンゲリカがはずむような口調で私にいった。

「夏休みに、よかったら東ドイツに一緒に行かない？　まず、ドレスデンのおばあちゃんの家に寄って、次に私の大学があるイェーナ。最後に東ベルリンの私の実家って、どう？」

思いがけない提案に嬉しくなって「もちろん、行く！」と答えていた。そして、どうせ東ベルリンまで行くのなら、国境を越えて西ベルリンにもぜひ足を踏み入れてみたいと思った。アンゲリカが、一緒に西側へ行けないことを知りながらも、自分は東ベルリンから西ベルリンへ行きたいことを伝えた。そこで、東ベルリンまでの行程は一緒ということに決まった。

チェコから東ドイツへ行くことがどれだけ大変なことか、そのときはまだ想像もつかなかった。アンゲリカはすぐ東ベルリンの実家に連絡し、私を招待する旨の手紙を、至急プラハへ送るよう手配をした。この招待状か、ホテルを予約したバウチャー（クーポン）がなければ、東ドイツへの旅行ビザが下りないという。手紙がプラハに届くと、アンゲリカとヴルタヴァ川沿いにあるアールヌーヴォー建築の東ドイツ大使館へビザの申請に行った。申請してから許可が下りるまで数週間かかるし、チェコスロバキアへの再入国ビザの申請も、大学の事務所や警察署へ出向いて手続きしなくてはならなかった。国際列車の切符を買うのも、国営旅行会社チェドックで根気よく並び、半日がかり。すべての書類と切符を揃えたときには、やれやれという気持ちになった。ひとりでは全部を揃えることはできなかっただろう、と思うほど手続きが煩雑だった。

夏のある快晴の日、私はアンゲリカと国際列車に乗ってプラハを発った。久しぶりの旅行なので、わくわくしていた。日本のパスポートを持っていても、チェコ留学中の身では、少なくとも3週間ほど前に再入国ビザを申請してからでないと外国へ出ることができなかったので、チェコ以外の国へ行くという解放感に浸っていた。そして、エルベ川沿いを走る列車から見る、美しい風景に心を奪われた。

国境警備兵

国際列車は、重い金属音をたててブレーキをかけ、チェコスロバキアと東ドイツとの国境の町ジェチーンに停まった。窓の外を見ると、警察犬を連れた国境警備兵が15メートル間隔くらいに並んで、車両の下をのぞいて亡命を企てる者が隠れていないか、懐中電灯で念入りに点検している。

車内にカツカツと革靴の近づく音がして、最初にチェコスロバキアの国境警備兵、続いて東ドイツ側の国境警備兵がふたりずつやって来て、乗客にパスポートの提示を求めた。さっきまでの楽しい雰囲気はどこかへ吹っ飛び、アンゲリカの顔が緊張のあまりひきつっている。

いかめしい顔をした東ドイツの国境警備兵が私たちのコンパートメントに入って来た。座席の下をさぐり、棚の上の荷物を1点ずつ眺め回した。パスポートの提示を求められたとき「あなたの荷物はどれですか？」と聞かれた。息をするのも忘れて指でさすと、棚から下ろして開けなさい、と命令された。立ち上がるときにアンゲリカの顔をちらっと見ると、私と目を合わせずに息を潜めている。乗客はみなうつむいている。

人の見ている前で国境警備員が、私のかばんを開けてなかのものを細かく検査しだした。こんなふうに自分のものを他人に見られるなんて、という恥ずかしい気持ちと、なんでそこまで、という理不尽な気持ち、それに国境で下ろされてどこかへ連れていかれたら、というあらぬ考えが頭をよぎり、これまで経験したことがない緊張感にさらされた。

最後には、化粧ポーチを開けられて、そのなかに入っていたチェココルナ札を取り出し、なにか言われた。チェココルナの持ち出し額が規則より多いので、国境で預かると言っているようだった。それは、チェコでお世話になっているアンドゥルロヴァーおばさんから頼まれた毛糸を買うお金なのに！　と心のなかで叫んだ。息子のイェルカからは、カメラのフィルム"AGFA FILM"を買うお金を預かっていた。

制服からして威圧的な態度の国境警備兵と、コンパートメントに乗り合わせた人たちの、我関せずの雰囲気が、戦争映画などのシーンにそっくりで、背筋が凍る思いをした。

ドレスデン、イェーナ、エアフルト……そしてベルリンへ

東ドイツの旅はドレスデンから始まった。１９４５年の無差別爆撃により町の85パーセントが破壊されたという。町の中心である歴史的建造物のひとつ、聖母教会は、無残ながれきの山だった。修復されずに残っていて、戦争の痛ましい傷跡をさらしていた。爆撃をほとんど受けなかったプラハの町との違いに、このときは心底驚いた。

夜は、狭いアパートでひとり暮らしをするアンゲリカのおばあさんの家で、ポテトサラダとソーセージの夕食をごちそうになり、その晩におばあさんから戦争の話を少し聞くことができた。おだやかな口調だったが、今生きているのが不思議なくらい爆撃はすごかったのよ、と言った。

プラハで会ったことがあるイェーナ大学の学生たち。1985年ごろ、イェーナで再会した

次に訪れた町イェーナでは、アンゲリカのルームメイトで植物学を専攻する女子学生に紹介された。シングルマザーになることを決めた女子学生は、「ほらここに赤ちゃんがいるの！」と嬉しそうにお腹を見せた。東ドイツでは、シングルマザーという生き方を選ぶ女性も比較的多いと聞いた。イェーナは小さな町で緑も多く、いかにものんびりした雰囲気。学生たちのアパートにも行き、おしゃべりしたりお茶を飲んだりして、数日を過ごした。

イェーナ近郊のエアフルトはチューリンゲン州の州都で、大聖堂と運河が印象に残る町だ。アンゲリカの友人ご夫婦のお宅にひと晩ご厄介になった。入り口や階段は古めかしくて手が行き届かないアパートなのに、室内はすっきりとして、工夫されたセンスのよい手作りのものに囲まれて暮らしていた。

エアフルトの大聖堂の見学には、これまでに見たことがないような階段を上らなくてはならず、迫力があった。

さらに、チェコよりケーキのおいしい雰囲気のいいカフェもあって、昔ながらのカフェ文化というものが、政治体制が変わっても、しっかり根づいているのを感じた。

いよいよ最後は、アンゲリカの出身地である東ドイツの首都東ベルリンに着いた。アンゲリカの家は、野原が残るような郊外にある一軒家だった。両親は旅行中だから自宅だと思ってね、と言われて、気兼ねせずに過ごした。地下鉄はUバーンというが、地上を走る電車Sバーンで私たちは移動した。まだ古い型の電車が走っていて、木の床に木のドアで趣があったのはいいが、ワックスの匂いが鼻につくこともあった。車内はしーんとして乗客の表情は硬く、それが妙に気になった。

東ベルリンでの数日間

アンゲリカは、まず私を東ベルリンのショッピング街、テレビ塔のあるアレキサンダー広場につれて行き、デパートや書店に入った。本屋は、スーパーのカゴを入り口で持って入る仕組みで、なんだか本屋に入ったような気がしなかった。ほかの食料品店をのぞくと、売っているものはチェコと似たりよったりで特に欲しいものはなかった。その後、アレキサンダー広場から、目抜き通りウンター・デン・リンデンに至る通りを歩いた。広い通りと大きな建物群。プラハの町に比べたら作りがすべて大きい。ベルリン大聖堂、フンボルト大学、オペラハウスと歩きながら案内されて、ウンター・デン・リンデンの突き当たりまで来ると、アンゲリカは言った。

「あそこにあるのが、ブランデンブルク門で、ずっと張りめぐらされているのがベルリンの壁よ。壁の向こうが西ベルリンなの」

警備されている立派なブランデンブルク門が見えたが、近づくことはできなかった。西ベルリンからは、一日ビザを取れば自由に東ベルリンへ来ることはできるのに、その逆はだめなの、とアンゲリカはため息まじりに言った。目と鼻の先にあって行けない場所。同じドイツ人なのに、分け隔てられている現前とした不条理。歩いて行って、突然行き止まりになる道が、首都東ベルリンにあるのが不思議でならなかった。

ふたりで毎日町を歩いた。シュプレー川の中洲のようなところに美術館などが集まっていて、〝博物館の島〟と呼ばれていた。そのなかでもペルガモン博物館に、いたく感激した。

食事は、アンゲリカの両親のはからいで、と毎日レストランにつれて行ってもらった。外食費は安いようで、誰でも食べに行ける値段だった。生野菜が極端に少ないのはチェコと同じで、夏なのに、サラダを注文するとチェコでもあまり食べないビン詰のビーツが出てくることが多かった。

ふたたび国境、そして〝ベルリンの壁〟

東ドイツで10日あまり過ごしただろうか。いよいよ、ひとりで国境を越えて西ベルリンへ行く日となった。東ベルリンから西ベルリンへ。できればアンゲリカと一緒に旅を続けたかったのだが、それはかなわぬ夢だった。

アンゲリカは、東ベルリンから西ベルリンへ電車で入国する際の国境、フリードリヒシュトラーセ駅まで送ってくれた。大きな駅なのに、人の波も物音もなく、異様な雰囲気に包まれている。体育館のような建物が駅に隣接していて、別れの舞台なので〝涙の宮殿〟と呼ばれていたことを後に知った。ときどき、西ベルリンから戻って来たと思われるお年寄りが、国境検問所から現れてゆっくり歩いてくる姿が見えた。まるで、ブラックホールから出てくるようだ。自分もその穴へひとりで入っていくのかと思うと心細く、空恐ろしくもあった。

「じゃあ、私はここから先に行けないから、この先気をつけてね」アンゲリカがそう言って手を振った。

（アンゲリカと国境を越えることは無理なんだ）。残る側と立ち去る側。ふたりのあいだには、見えない壁がすでに立ちはだかっているように思えた。秋にまたプラハで会おうね、と約束をして、軽い抱擁をして別れた。

検問所は、社会主義国らしく、チェコやロシアの空港にあるパスポート検査の雰囲気に似ていた。ひとりずつ前に進みパスポートを見せる。なめるようにじっくりと顔を見られ、問題がなければ、力を込めてスタンプをガッチャンと押された。東ドイツマルクも持ち出しが禁止されていたので、そのことも聞かれた。

国境を越えるといっても、検査の直後に、同じ駅の階段を上ってホームに出ると、そこが西ベルリンのフリードリヒシュトラーセ駅、という仕組みだった。モノクロ映画が、急にカラー映画に転換したようだった。私が今までアンゲリカといた世界など最初からなかったかのように、同じドイツ語を話す人びとが、あでやかな服を着て、電車を待っている。私は1年ぶりくらいに目にする西側の広告や看板に目を奪われ、なによりもすべてがまぶしかった。とはいえ、貧乏学生の手持ちの西ドイツマルクは限られており、1回のバス代や電車賃200円〜300円が、チェコや東ドイツでの何食分にも相当することを知り、がく然とした。

〝壁〟の向こう側

西ベルリンでは、チェコの知人から紹介された、女性ふたりが暮らすアパートに何日か泊めてもらった。東ベルリンでは近づけないベルリンの壁だが、西では壁の近くに行って、設置されている展望台から東ベルリン側を眺めることができた。壁は1枚ではなく、西ベルリン側と東ベルリン側の壁のあいだに、国境警備兵が監視をする緩衝地帯があった。東から壁を越えようとして見つかれば、男女、大人子どもの区別なく銃殺されると聞いていた。

だが、その緊張も西ベルリン側にいるとあまり感じず、大きな西ドイツの一部にいるような錯覚を起こした。西ベルリンが西ドイツの飛び地だなんて、あらためて言われないと実感がわかない。プラハを出発してドレスデン、イェーナ、エアフルト、東ベルリンと東ドイツを旅し、東ベルリンからフリードリヒシュトラーセ駅の国境を越え、私は壁に囲まれた西ベルリンへ徒歩で入った。西ベルリンでは、壁づたいをどこまでも歩いて、壁の堅牢さを実感した。東ベルリンから壁を越えようと試み、銃殺された人を悼む記念碑が西ベルリンのブランデンブルク門の近くにあった。戦争の爪痕そのものだった。東から西へ人が流出しないように、東ドイツは壁まで築いてしまったなんて。1963年8月13日、東ドイツは西ベルリンの周囲を有刺鉄線で囲み始めた。やがてレンガを積み、コンクリートで固めていった。こうして人が行き来できない壁が西ベルリンの町を囲んだ。

アンゲリカが生きているあいだに、西ベルリンから東ベルリンを見ることはあるのだろうか、と彼女の将来に思いを馳せた。プラハに戻ったら、アンゲリカに西ベルリンのようすを、なにから語って聞かせよう……。1985年当時、東西冷戦の行方に明るい兆しはまだ見えず、コンクリートでできた壁は、ずっと後世まで残るものだと、そのとき私は信じて疑わなかった。

ベルリン1989

西ベルリンでの暮らし

1989年は日本や世界で、いろんな意味で記憶に残る年となった。1月7日は昭和天皇が崩御。1月8日元号が「平成」となった。中国で起きた6月の天安門事件……。

西ベルリンのテーゲル国際空港に到着したのは、1989年8月末の肌寒い日だった。私がチェコ留学を終えてから3年の年月が経っていた。久しぶりに降り立ったヨーロッパの地がチェコではなくドイツというのが、なんだか不思議な気がした。新聞記者の夫が、1年間ドイツ語の勉強のために派遣されると決まったとき、ドイツ政府が設立した公的な国際文化交流機関ゲーテ・インスティトゥートのある町のなかから、住みたい町を選ぶことができた。どの町にしようか、との問いに「西ベルリン！」とふたりはほぼ同時に言っていた。私はなんといっても、チェコ留学中にアンゲリカの東ベルリンの実家に滞在した思い出があり、西ベルリンをひとりで訪れたときに垣間見た、独特の魅力を持つ西ベルリンで暮らしてみたいと思った。数か月前に日比谷で夫と観た、ヴィム・ヴェンダース監督の『ベルリン・天使の詩』の映像もまぶたに焼きついていた。

夫は西ベルリンのゲーテ・インスティトゥートに通うことが決まり、学校から下宿を紹介された。西ベルリンの中心地に近く、地下鉄のウィルマースドルファーシュトラーセ駅と、Sバーンのシャルロッテンブルク駅からも数分という便利な場所にあった。戦前の建築らしく、ゆうに100平米は超えるような広い3LDKのアパートに住む、シングルマザーのマリオンと小学生の息子セバスティアンとの共同生活が始まった。

ほどなくして、私たちはマリオンからお茶によばれた。お互いのことについて話すうちにマリオンは、自分が東ドイツの出身であることを語り始めた。東ドイツ人の夫と離婚した後、どうしても西ドイツに住みたかったマリオンは、西ドイツ人と偽装結婚をし、合法的に息子と西ドイツへ出国できたという。驚く私たちをよそに「私、今は近所の子ども服の店で仕事をするのに満足しているし、息子と西ベルリンで楽しく暮らせて幸せよ」とくったくがない。いきなりすごい体験談をお茶うけに聞かせてもらい、やはりここは西ベルリンなんだ、と実感した。

陸の孤島・西ベルリン

ゲーテ・インスティトゥートの初級クラスに入った私は、月曜日から金曜日まで毎日ドイツ語漬けになり、週末になるとベルリンの東西の町をよく歩きまわった。西ベルリンの地図を広げると、ベルリンの壁がベルリンを東西に分けているのがよくわかった。

ドイツは、ポツダム協定で戦勝4か国（イギリス・アメリカ合衆国・フランス・ソ連）により分割占領され、首都ベルリンも、この4か国の管理下に置かれた。だが、英米仏3か国とソ連が対立し、1948年ソ連が英米仏の管理地区（西ベルリン）と西ドイツとの陸路を封鎖。いわゆる「ベルリン封鎖」を行った。町の観光客向けのポストカード売り場で気になった一枚がある。ちょうど「ベルリン封鎖」のさなか、西ベルリンへ食料を輸送する飛行機を見上げる少年たちの姿だった。日常の非日常、という言葉が浮かんだ。

とにかく壁近くへ行ってみたい、という気持ちで国境検問所チェックポイント・チャーリーとその近くにある壁博物館や、クロイツベルクという移民が多く住む地域へ出かけた。アバンギャルドな絵が壁いっぱいに描かれた場所があった。メッセージ性の強い落書きを読みながら、高さ3メートルはある壁づたいに歩いた。第二次世界大戦前はベルリンの中心で、最も華やかで活気があったといわれるポツダム広場付近まで来ると、ポストカードで見る往時の面影はまったくなかった。人は、たまに見かけるくらいしかいなかったし、かつて町があったことを想像するのも難しいほどガラーンとした空き地に立って、遠く壁の方を見た。それは、白蛇のようにゆるい曲線を描きながらのびていた。アーティストが、ベルリンの壁をキャンバスに見立てて端から描いていったとしても、白い壁は絵で埋め尽くせないほど長く続いていた。

ベルリンの壁ができたのは1961年の8月にさかのぼる。ある日突然、東ドイツ政府が鉄条網を張り始めたことに始まる。その目的は、表向きの説明と違い、東ドイツから西ドイツへ流出する人をそれ以上増やさないためだったといわれている。次第に、堅牢なコンクリートで固められていき、東ドイツ側の国境警備兵が、東ドイツからの逃亡者の監視をするようになった。

私たちはある週末、一日ビザを取って東ベルリンへ入った。国境の検問所があるフリードリヒシュトラーセ駅まで、家の近くにあるSバーンの駅から1本で行くことができた。

プラハ留学中、東ドイツの友人アンゲリカが私をこの駅まで送ってくれて、そこからひとりで西ベルリンへ渡った思い出深い駅だった。駅構内の検問所でパスポートを見せ、西ドイツマルクを東ドイツマルクに強制両替させられ、一日ビザを発行してもらった。

おそるおそる東ベルリンに足を踏み入れると、駅前の人気のないようすは以前と同じだった。ウンター・デン・リンデンからアレクサンダー広場まで歩いた。西ベルリンから来ると、モノクロの別世界に入り込んだようだ。派手な広告はなく、売っているものや、町を歩く人のもの静かな印象は、数年前とほとんど変わっていない。

東ベルリンでは、美術館へ入り、レストランで食事をして、本屋で絵本などを買って一日を過ごした。それでも東ドイツマルクはだいぶ残ってしまい、その使い道に頭を悩ませた。東ドイツマルクは国外に持ち出せないことになっていた。

予兆

あるとき、西ベルリンへ戻るのにフリードリヒシュトラーセ駅までくると、またしても東ドイツマルクが余っていた。欲しいものがなかったが、駅のそばにキオスクがあったので、お酒を1本買った。ちょっと近道をしようとして歩道から柵を乗り越え、駅前の道路を横切ろうとしたそのときだ。「ピピーッ！」というけたたましい笛の音がして、ふたりの警官が、どこからともなく現れた。交通違反をしたので罰金を払うよう命じられた。お金は使い切ってありません、と夫がきっぱりいうと、西ドイツマルクでいいです、といわれた。抗議をしてみたものの、結局3000円相当の罰金を西ドイツマルクで払うことになった。納得いかなかったが、警察が西ドイツマルクをポケットに入れないように、領収書だけはもらった。そして、なぜ東ドイツの人は信号をかたくなに守るのか、ようやく理解できた。東ドイツは、まだまだ監視の目が網の目のように張りめぐらされた社会だった。

私たちが西ベルリンに住み始めた時期と前後して、東ドイツの市民がハンガリーやチェコスロバキア経由で西ドイツへ大量に流出し始めたというニュースが流れた。10月に入ると、東ドイツ市民がプラハの西ドイツ大使館の壁を乗り越えてなかに入る姿や、大使館の庭でろう城している写真や映像を目にすることが多くなった。ライプチヒでのデモも、次第に数万人規模にふくれ上がっていった。

東ベルリンに一日ビザを取って入った10月のある日のこと。アレクサンダー広場で誰かが拡声器のようなものを持って、市民の集会が開かれているようすだった。手にプラカードを持っている人もいるし、横断幕のようなものを手にしている人もいる。制服を着た警官や軍関係者は見当たらず、混乱はなかった。

　プラカードには自由選挙を求める内容や、政治家を風刺する漫画が書いてあり、現政権を批判する内容のものがあった。若い夫婦が、バギーカーを押して、子どもづれで来ていた。これまでの東ドイツでは、公共の場で反政府的な発言をするなんてことは、まったく想像できないことだった。すぐに警察にしょっぴかれてしまっただろう。茫然として集会に見入っていたが、ハッと我に返って夢中でカメラのシャッターを切っていた。

西ベルリンから１日ビザを取得して東ベルリンへ入ると集会が開かれていた。「土曜日はお休みにして」のプラカードを手に持つ女の子

　しばらくすると400~500人ほど集まっていた人が三々五々散っていった。市民運動が、東欧の優等生といわれた東ドイツでも確実に広がりつつあるようだ。なにかが少しずつ変わり始めていることを、この日は肌で感じて西ベルリンへ戻ったのだった。

真相はどこに……？

11月9日の晩。部屋にいるとき、夫がいつものように8時のラジオのニュースを聞き始めた。部屋にテレビがないため、夫はヒヤリングの練習も兼ねてラジオのニュースを聞くのが日課になっていた。この日は特に、ひと言も聞き漏らすまいとしてラジオに耳を押しつけるようにしている。聞き終わると、「なんか東ドイツが……海外旅行を自由化すると発表したらしい。国境に東ドイツ人がたくさん押し寄せていて、ついに国境を開けたと言っているようなんだけど……」と半信半疑のようす。

「えっ、どういうことなの？」ニュースの内容は、夫のヒヤリングに頼るしかなかった。私はドイツ語を始めてまだ2か月しか経っていなかったからだ。9時、10時とニュースを聞き続ける夫。だが、ニュースの内容に確信が持てないようだった。

そこで、同じ屋根の下にいるマリオンに確かめることにした。夜ふけに申し訳ないと思いながら、私たちは隣のマリオンの部屋をノックしてみた。眠そうなマリオンが出てくると、夫がラジオニュースの一件を尋ねた。「なんだかベルリンの壁が開いた、と言っているようなんですが……」すると「まさか。壁が開くなんて、あるわけないでしょ」マリオンははっきり否定して、テレビで確かめることもなく寝てしまった。

それからが大変だった。気が気でない私は、ラジオにかじりつく夫を見守るばかり。そして、夫の顔がだんだん紅潮してくるのがわかった。

「どうも西ベルリンにも東ドイツ人たちが来てる、って言ってるようなんだけど……。とにかく、町の中心クーダム通りまで行ってみよう！」

確信

クーダム、と通称で呼ばれるクアフュルシュテルダム通りは、高級ブティックなどが並ぶ西ベルリンの目抜き通りだった。

急いでジャケットを羽織ると、夜ふけのカント通りに出た。静まり返った町の空気は、ひんやりしていた。眠らない町西ベルリンでは、深夜もバスが走っている。わずか10分ほどでクーダムの中心部に着いた。第二次世界大戦の爆撃で、虫食いのようになってしまったカイザー・ヴィルヘルム記念教会に向かって歩いていくと、ただならぬ気配を感じた。近づいていくと、ホテル・ケンピンスキーのある交差点の周辺は黒山の人だかりではないか。人をかきわけるようにして、前へ前へと進んだ。

「あっ！　トラバント！」

私は思わず声を上げ、自分の目を疑った。西ドイツではめったに見ることがなかった、東ドイツの国民車トラバントが路上にあった。国境が開かれて、西ベルリンの中心部クーダムまで乗って来たに違いない。フラッシュがたかれて、車中の感涙にむせぶ人の顔が一瞬見えた。車は群衆に囲まれて、それ以上前へ進むことはできなかった。車の周りでシャンペンのビンを持って大声ではしゃぐ人びと。トラバントのなかから人が降りてきた。みんなの歓声が一段とあがって、東ドイツから来た人たちはシャンペンを振舞われ、握手をされて大歓迎を受けた。交差点では熱狂が渦巻いていた。

カイザー・ヴィルヘルム記念教会にさらに近づいていった。教会の時計を見上げると、針は午前0時を回っていた。さまざまな時代を見てきたこの教会は、この歴史的大事件をどう眺めているだろうか。私たちは興奮のるつぼにいるのは確かだったが、どうして国境が急に開いたのか。ことのなりゆきは、正直なところ飲み込めないでいた。ただ、〝ベルリンの壁〟が実質的に意味をもたなくなった、その決定的なできごとを目のあたりにしたことは事実だった。

崩壊直後

静かだったベルリンは翌日から、一気に毎日がお祭り騒ぎになってしまった。国境が開かれてから、東ベルリンから西ベルリンへどんどん人が入って来る。私たちのアパートが

国境検問所で市民の通行が自由化し、西ベルリンへ来る人は絶えなくなった

ある一角は、安売り店も多いショッピング街だったため、東からの買い物客で混み合うようになった。アパートの窓から下をのぞくと、いつもは人影がまばらだったのに、人でごった返すようになった。歩道のゴミ箱はバナナの皮であふれた。バナナは西側からの輸入品なので、東ヨーロッパの人にとってぜいたく品だった。チェコで、バナナを買うために寒空の下行列に並んだ経験がある私には、東ドイツ人の気持ちが痛いほどわかった。

ベルリンは一夜にして世界の注目する場所となり、特にブランデンブルク門の周辺は、絶えず人が集まった。壁によじ登る人。写真を撮る人。象徴的だったのは、政府によって壁がケーキを切るように、2、3メートルの幅に切り取られたことだった。そして、国境警備兵が立ってはいたが、もはや検問は行なわれなくなっていた。人びとが、壁が切り取られた隙間から、自由に東西ベルリンを往来した。

ベルリンの壁崩壊の歴史的な場面に居合わせた記念に、壁を持ち帰ろうとする人も多かった。私たちも近くにいた人に道具を借りて試みた。だが、ちょっとやそっと、たたいたくらいでは削れないほど壁は硬かった。壁のかけらを露天で売り始める人が現れるのに時間はかからず、その数も次第に増えていった。

測りかねる真意

自分のなかで壁崩壊を目撃した興奮が少し収まったとき、なんとしても東ドイツの友人アンゲリカに連絡しなくては、と思った。プラハを離れて以来ほとんど音信不通で、壁崩壊前は西ベルリンから手紙を出すと、アンゲリカの家族に迷惑がかかりそうなので、出すのをためらっていた。でも、今こそ会わなくては。

居場所がわからないので、東ベルリンにある彼女の実家に電話をしてみた。電話口に出たのは、お兄さんで、私はつたないドイツ語で、今西ベルリンにいることと、アンゲリカに会いたいことを告げた。お兄さんは驚いたようすだったが、伝言を約束してくれた。アンゲリカは電話のない東ベルリンのアパートでひとり暮らしをしているとのことだった。ほどなくして、彼女から電話があった。あの懐かしいドイツ語なまりのチェコ語だった。私は住所を聞くと、夫とアンゲリカのアパートを訪ねることにした。

そのころ、ベルリンを覆っていた一種の興奮状態に私まで熱っぽくなっていたのだろうか。4年ぶりにアンゲリカと再会したら、思わず抱擁して顔は涙に濡れるかと想像していた。だが、「Ahoj（やぁ）！」というアンゲリカのチェコ語の軽い挨拶に、こちらはすっかり拍子抜けする。私は夫を紹介した。ドイツ語とチェコ語を混ぜながら3人で話をした。しかし、彼女は、壁崩壊にも浮かれることがなく、妙に言葉少なだった。

「アンゲリカ！　壁が開くなんて、本当にすごいよね！　プラハからベルリンへ旅した4年前は想像もできなかったよね!?」

薄暗くなっていく部屋で、私は明るい話題を続けようとしていた。だが、手放しで喜べないのよ、と言いたげな顔をしていた。チェコ語が思うように出てこない言葉の問題があったのか。もっと時間をかけてふたりきりで話をすれば、あるいは彼女の胸の内が聞けたかもしれない。その日は、とにかくアンゲリカに再会できたことが嬉しくて、西ベルリンへ遊びに来てね、と言い残してアパートを後にした。

　大学時代、神学部に在籍していた彼女は、ライプチヒで起こっていた教会を中心にした市民運動に関わっていたのかもしれない。資本主義の波が東ドイツに押し寄せ、東ドイツがそっくり西ドイツに飲み込まれそうになっている状況に、さまざまな思いが去来していたのか。語ろうとしないアンゲリカの気持ちを、あれこれと考えながら、ビザがいらなくなった東ベルリンから西ベルリンへ戻ったのだった。

　アンゲリカには西ベルリンの住所と電話番号を渡したが、一度も連絡してくることはなかった。


　連日のように新しいニュースが発表される混沌としたドイツ、そしてベルリン。テレビがなくては、状況把握にとても追いつけないと思い、ドイツの友人につき添ってもらって、トルコ人の経営する中古家電店でテレビを入手した。部屋に取りつけてさっそくスイッチを入れてみた。映りの悪いテレビのアンテナを調整していると、「チェコスロバキアの首都プラハからの中継です」というアナウンサーの姿が。背景には、プラハの町と大規模な市民デモの光景が映し出されていた。

「ついに、チェコスロバキアの人びとも、声を上げた！」

私は、自分の体の血が逆流するように感じて、目頭が熱くなった。

決してなくなることはない、と思われていたベルリンの壁を崩壊させた民衆のエネルギー。それは、東ドイツに留まらず、ものすごい速さで近隣の東欧諸国へも波及していた。私たちが居合わせたベルリンの壁崩壊という歴史的大事件は、大きな時代のうねりの、ほんの始まりに過ぎなかったのだ。

冬のビロード革命

「チェコ事件」

1968年8月20日という日を、チェコスロバキアの人たちは決して忘れることがないし、これからも語り継がれることだろう。

政治家ドゥプチェク指導の「人間の顔をした社会主義」という文化開放政策が進むなか、ソ連を中心としたワルシャワ条約機構軍が、戦車でチェコスロバキアへ侵攻する、という衝撃的な「チェコ事件」が起きた。

チェコの小学校で親しかった友人マルシカによると、6歳のときの記憶では、夏休みのある日、別荘で寝ていたら急に母親に抱きしめられて「怖がらなくていいんだよ」と言われたという。あとでわかったのは、別荘の近くを、プラハに向かう戦車の列が進んでいたということだった。

チェコスロバキアの人々の希望が、無残なかたちで踏みにじられたこの事件を、後に記録映画で見るたびに、自分の胸が締めつけられるような思いをした。だが、そもそも私がチェコスロバキアに住むことになったきっかけは、どうしてもこの事件抜きには語れない。世界を震撼させたこのニュースで、チェコスロバキアは世界の注目の的となり、大学でロシア語を専攻していた父は、読売新聞社のプラハ支局を開設することになった。1970年の2月にプラハへ赴任し、ヴァーツラフ広場のヤルタホテルに泊まりながら記事を送り、日本語のできる秘書や家族の住まい探しが始まったという。

半年後の8月、母と小学生の私と3歳の妹がプラハへ到着して、チェコスロバキアでの生活が始まった。

〝チェコ〟という体験

言葉もなにもわからず入ったチェコの小学校。近所のおじさんやおばさん、友だちに大事にされ、社会全体が子どもをかわいがり見守るチェコで、のびのびと育った70年代。そして、ひとりでプラハへ留学して厳しい現実を体験した80年代の半ば。西ベルリンで遭遇したベルリンの壁崩壊から、雪崩を打つようにチェコスロバキアに波及した89年の民主化運動。それを目の当たりにして思ったのは、私はチェコという国と、とことんつき合うことになるだろう、ということだった。皮肉にも1968年の「チェコ事件」がなければ、父がプラハに赴任することもなかっただろうし、私たち家族がチェコと関わることはなかっただろう。私の人生にこんなに大きな影響を与えた国チェコ。もはや他人ごとでは済まされない。

壁崩壊後のドイツからチェコスロバキアへ

西ベルリンに暮らし始めて3か月目の1989年11月9日、東西冷戦の象徴であるベルリンの壁が崩壊し、東西ドイツの熱狂ぶりが世界に報じられた。その歴史的大事件は、隣国チェコスロバキアの足元をも揺さぶっていた。少しずつ改革が行なわれてきたポーランドやハンガリーに比べると、チェコスロバキアは出遅れていた。チェコスロバキアと同じように古い体質を維持していた東ドイツの旧共産党政権が、ベルリンの壁崩壊により打倒されたことは、チェコ人にも衝撃と勇気を与えたに違いない。

チェコスロバキアで連日大規模なデモが起きているとドイツのテレビや新聞で報じられると、私は語学学校でドイツ語を習いながらも、チェコのことが気がかりでならなかった。

11月末、日本から友人のフォトジャーナリストYさんが、ベルリンへ取材に来た。ベルリンからプラハへ行くというので、私たちもプラハへ一緒に行くことに決めた。それならプラハからブダペストまで足をのばそう、と合計4泊5日の短い旅程を立てた。西ベルリンのハンガリー大使館と、東ベルリンのチェコスロバキア大使館を1日でまわってビザを取ると、2日後には東ベルリンからプラハ行きの夜行列車に乗り込んだ。

夜行列車に揺られながら、チェコで急速に広がった大規模デモについて考えていた。ベルリンへ到着した翌月、9月に夫とプラハへ行ったときのことだ。父の元アシスタントで旧友マルティン・ヴァチカージュの友人のアパートに2泊ほどご厄介になった。旧市街広場近くの、迷路のような入り口から入る2階で、間取りが小さく、古い建築と見てとれた。初めて会ったその家のご夫婦とマルティンの会話がふと頭をよぎった。

「何度も投獄されているヴァーツラフ・ハヴェル氏を支援するデモが週末にあります」と〝デモ〟と〝ハヴェル〟の名前が、一見するとヒッピーふうのカップルの口からこぼれた。日本の書籍で、チェコスロバキアの人権擁護運動「憲章77」について読み、提唱者のひとりが劇作家のヴァーツラフ・ハヴェル氏だと知ったが、私が留学していた84年から86年まで、その名を、まわりにいたチェコ人から聞くことは一度もなかった。

泊めてもらった家で聞いたハヴェルの話は、今日の大規模デモへとつながる導火線だったのだろうか。そんなことを考えながら、寝台列車の揺れに身を任せて眠りについた。

生き続ける英雄

翌朝プラハ本駅に着くと、さっそく町の中心部ヴァーツラフ広場に出ることにした。地下鉄ムゼウム駅から地上に出てみた。すると、細長い広場を高い位置から見下ろす聖ヴァーツラフの騎馬像の前に人だかりがしている。近づくにつれ胸が高鳴った。像の台座には、びっしりと文字が書かれた紙や写真が張られていた。

地面にはロウソクの火が灯され、そのロウが幾重にも流れて模様になっていた。ロウソクと共に、数え切れないほどの花束が手向けられていた。人びとは、ヤン・パラフを忘れていないのだと思った。民主化運動「プラハの春」が打ち砕かれた翌年の1月、抗議の焼身自殺をしたのが、学生のヤン・パラフだった。

昼間なのに頭がズキズキするほどの極寒のなか、老いも若きも集まっていた。ヴァーツラフ像の背後には、手にビラを持って配る若い男性がひとりいる。その若者に近づき意見を言い始めた老人がいた。遠巻きに聞く人が次第に集まってきていた。

私はカメラのファインダーをのぞくと、どこかで見たような光景だと思った。体験はしていないのに、１９６８年の「チェコ事件」のときの映像と、自然と重なって見えたのだった。そのときから21年の月日が流れた。ヴァーツラフ像の周辺に、トリコロールカラーのチェコスロバキアの国旗が何枚も掲げられていた。

途中からYさんと別行動をとり、父がプラハ支局にいたときに2代目アシスタントを務め、後に現地記者となったペトル・ガイスラーに会いに行くことにした。チェコスロバキアの置かれた現在の状況を現役記者に聞けるのでは、と考えたからだ。私の留学時代には、ときどき支局に行っては貴重な日本の新聞をもらっていた。

ドアが開き、「どうもどうも。忙しいさなかに、よくいらっしゃいました」と流暢な日本語ながら、チェコ人らしく皮肉が込められた挨拶で迎えられたので、ペトルらしいなあと思った。私がチェコスロバキアで現在何が起こっているのか聞くと、「東京から記者が何人も来ていて、てんてこ舞いなんです。すみません」とペトルはわびた。ドア越しに、日本人記者たちの様子が見え、緊迫した話し声が飛び交っていたので、邪魔にならないように、早々においとましました。

変化

外の気温は、軽くマイナス10度を下回っていた。１００メートルも歩くと寒くてたまらず、目がカフェを探し出す。店を見つけると、とりあえず温かいものを飲み、暖をとると再び歩き出した。

商店のウインドーには、さまざまなビラが張られていた。なかでも「OF」と書かれたものはあらゆるところに張られていた。「O」のなかには、ピースマークのように目や口が書き込まれ、笑顔になっている。それは、「ビロード革命」に繋がっていった自発的な市民運動、政治運動Občanské fórum（市民フォーラム）のマークだということがわかった。よく見ると、通りを行く人で、このバッジをつけている人が多い。ビラには、「労働者、学生諸君、ストを！」と「Havel na hrad! ハヴェルを城へ！」（フラッチャニー城に大統領官邸があるため、「ハヴェルを大統領に！」の意味）と、強い呼びかけの言葉が踊っていた。まっすぐ前を見つめて足早に歩く人。寒いなか、立ち止まって熱心にビラを読む人。今まで見たこともないような希望の光が、町の人びとの目に見てとれた。

今回、私たち夫婦はマルティンのアパートに泊めてもらった。マルティンは、日本のテレビ局と一緒に取材をしていて忙しかったが、帰宅すると、チェコスロバキアで起きている最新の情報を、興奮して日本語で語った。マルティンは、やかんでサモワールのように茶葉を蒸らして、薫り高い熱い紅茶をいれてくれた。紅茶を飲むと、マイナス10度以下の外で凍えきった体の、まるで芯がとけ出すように言葉もなめらかに語り合った。

まず、今回の大規模デモは11月17日に行なわれた学生のデモが発端となった。それは、1939年にナチスドイツのチェコ占領に反対し抵抗した学生たちのために、ヴァーツラフ像にロウソクと花を捧げようという平和なデモのはずだった。ところが機動隊がデモを弾圧した際にけが人が続出し、ハヴェルの死亡説まで浮上した。その事件に憤った多くの市民が、次第にデモに参加し始めたという。私は、昼間にヴァーツラフ像の近くで見た、たくさんの花束とロウソクを思い出した。

「〝憲章77〟のハヴェルが中心になってできた『市民フォーラム』という組織が市民に支持されて、ヴァーツラフ広場で30万人の集会が開かれたんだ。保守派の幹部全員を辞任に追い込んで、とうとう『市民フォーラム』の綱領が発表された。全国にストライキを呼びかけているところで、演劇人や音楽家たちも公演の代わりにホールで討論会などを開いている。今度こそ絶対に！　民主化を実現しなくちゃいけない！」マルティンの〝絶対に！〟の言葉に特に力が込められていた。3年前の1986年まで留学していた私は、よもや体制が揺さぶられるようなことがチェコスロバキアで起こるなんてことは、夢にも思わなかった。

翌日、再びYさんと合流して私が留学していたカレル大学へ行くことにした。ちょうどカレル大学哲学部に入ろうとしたとき、斜め前にある「芸術家の家」（現在は音楽公会堂ルドルフィヌム）正面の階段でなにか動きがあった。

はちまきをして、横断幕を持つ学生たちのようだった。なにかを叫んでいる。広げた横断幕には、中国の天安門事件に対する抗議と、中国の学生と連帯する、という内容が書かれていた。すぐに外国人ジャーナリストがそれを写真に撮っていた。学生が逮捕されないかと心配したが、ついに警察は現れなかった。これだけでも大きな変革が起きていることを実感した。

カレル大学哲学部内のある教室では、学生たちが忙しく立ち働いている姿があった。資料を揃え、広報活動に余念がない。ある女子学生と少し言葉を交わした。11月17日のデモの話から今に至るできごとと、これからの展望について尋ねた。

「平和に行なわれていた学生のデモに対して、許しがたい暴力が振るわれ、国民の怒りの声が上がりました。集会参加者も増え、全国に波及しています。先のことは未知数ですが、私たちの考えをできるだけ広く伝えて、政治の行方を見守りたいと思います」と語った。女子学生の言葉は力強く、なにをも恐れない瞳をしていた。私同様に1968年のいわゆ

上：1990年夏、ドイツにいた私たちは研修旅行を終えた父とプラハで合流した。ベルリンの壁崩壊後、チェコスロバキアではビロード革命が起こり自由を謳歌していた。旧市街広場に現れた、足をはやした旧東独の国民車トラバントのモニュメントの前の父と夫（右）

下：留学中お世話になったイェルカ・アンドゥルレのご両親を父と訪ねた。革命直後の再会で会話もはずんだ

る「プラハの春」事件が記憶にない世代だ。70年代から80年代の一部ではあるがチェコを見てきて、まっすぐに将来を見据えて語れる世代が出現したことに、私は心打たれていた。21年前に挫折した民主化運動「プラハの春」だが、今度こそ本当に〝春〟が訪れてほしい、いや絶対訪れるに違いない。凍てつくプラハ中央駅のプラットホームで、祈るような気持ちでいた。チェコで会いたい人の顔が次々浮かんでは消えたが、この旅は先を急がなければならなかった。また必ずチェコへ戻ってくると心に誓い、ブダペスト行きの列車に乗り込んだ。

12月25日。クリスマス休暇をドイツ北部のローテンブルクの友人宅で過ごしていた私たちは、テレビで衝撃的なシーンを見た。ルーマニアのチャウシェスク大統領夫妻が、特別軍事法廷で死刑判決を言い渡され、銃殺刑になった生々しい映像だった。この一件は、東欧革命の最終章ともいわれた。

12月29日。チェコスロバキアでは、ヴァーツラフ・ハヴェルが大統領に選出された。ルーマニアと対照的に平和裏に行なわれた革命は、柔らかな布にたとえて「ビロード革命」と名づけられた。

3 絵本の翻訳につながる道

絵本のなかのふたつの世界

絵本に感じた確かな重み

「チェコの絵本をいつか翻訳して日本に紹介したい」

中学生のころから、そう心のどこかに決心のようなものができて、すでに長い歳月が流れていた。20代で知り合った児童書の編集者に何冊もチェコの子どもの本を見せていたが、一冊も採用されなかった。

その夢がかなったときは、40歳になっていた。

ズデネック・ミレル氏の絵本『もぐらとずぼん』『もぐらとじどうしゃ』（福音館書店）の2冊は、日本で最も読まれているチェコの絵本といっていいだろう。そのもぐらの絵本を、日本でも約40年ぶりに偕成社から出版する話が浮上し、知り合いの編集者から声をかけていただいた。

最初にチェコの絵本に出会ったのは8歳のときだった。チェコスロバキアという国は、絵本の宝庫といってよかった。最初にチェコの絵本を手で触れたときの驚きを、今でもありありと思い出す。

チェコの小学校へ入った私は、友だちの家へはじめて遊びに行った。子ども部屋にもちゃんとした本棚があり、そこに分厚い大判の絵本や、ボードブックが少なくとも20冊くらいは並んでいた。

「これ、おもしろい本なのよ」

まだチェコ語ができない私に、友だちは大きな絵本を引っ張り出すと開いて見せてくれる。その絵本を自分の膝にのせると、ずっしりした重さが伝わった。ページをめくると、大人が読むのかと思うほど字がびっしり。それなのに、なんページかに一枚は深い色合いの絵が入っていて、日本の絵本とはだいぶ違うなあ、と子ども心に思った。

この国の言葉がもつ〝特別な響き〟

『金色の髪のお姫さま』『こいぬとこねこのおかしな話』（岩波書店）『ほたるっこ』（ドン・ボスコ社）の絵本はどこの家にもあった。

大判の絵本を、友だちは抱えるようにしながら私に声を出して読んでくれたり、あらすじを話してくれるのだった。チェコの昔話には森がよく登場し、お城を舞台にした美しいお姫様と王子様の挿絵は、私たちの心を浮き立たせ、それを絵に描いて遊ぶことも多かった。

ヨゼフ・ラダの絵本も人気があった。人間の言葉を話したり、人間のようにふるまう動物が登場する『黒ねこミケシュのぼうけん』（岩波書店）や『きつねものがたり』（福音館書店）は日本語にも翻訳されていたので夢中で読んだ。動物たちの大人びた話し方や、知恵があって人間をあっと言わせる姿に共感し、風刺のきいた物語はなんておもしろいんだろう、とチェコに住みながら日本語で読めることが嬉しかった。

チェコの絵本を読んで思い出すのは、子どものとき、チェコの大人から話しかけられた言葉が、特別な響きを持っていたことだ。絵本の文章でも、「ねえ、子どもたちはどう思う？」や「ねえ、こんなことってあるでしょうか？」というように、子どもの読者に話しかけるような表現がときどき見られる。子どものころ、チェコのおばさんやおじさんに

チェコにすっかりなじんで、自分がチェコ人ではないかと思っていた少女時代

ギュッと抱きしめられて、「なんてかわいい私のひよこちゃん」や、「あなたは私のこひつじちゃん」など、動物にたとえて言われた言葉はとても温もりがあった。

私がチェコに住んだ期間はたった3年足らずのこと。でも、絵本の翻訳をしたい、という夢をあきらめずにいられたのはなぜだろう。

チェコを離れて

11歳になる少し前、私はプラハに残る家族と別れてひとりで帰国することになった。

8歳のときから、私はチェコの小学校へ、妹はチェコの保育園、母は大学へ通い、家ではチェコのバビチカ（おばあちゃん）と毎日過ごした。そんな環境のなか、いつしか妹と話すのもチェコ語の方が楽になっていた。週に一度だけ日本大使館で補習授業があったが、国語はもとより理科、社会、算数さえもチェコと日本では教える内容がだいぶ違った。チェコの小学校の夏休みは丸々2か月もあるうえ、宿題もいっさい出ない。私がのびのびし過ぎて、日本語の勉強に相当遅れを取っていることが、親の目にはあきらかだった。

中学に上がる前になんとかしなければと思った父の意向で、同じ年ごろのいとこが3人いる父の郷里の実家に預けられることになった。

1973年1月、父がパリのベトナム停戦協定の取材に行くのに合わせて、私の帰国日が決まった。

「パパは、ベトナムの戦争を終わらせるための会議が開かれるパリへ行かなくてはならないの。パリまで有子と一緒に行って、パリで飛行機に乗せるよ。日本では、空港でおばあちゃんたちが待っていてくれるから心配いらないよ」

父とパリで2、3泊して、パリ駐在員の家族とエスカルゴを食べ、焼き栗を買ってもらい、あっというまに出発の日となり、空港で父と別れた。チェコから持ってきた赤いキツネのぬいぐるみを抱きしめて、客室乗務員につき添われて飛行機に乗り込んだ。そして経由地のモスクワに着くと、客室乗務員が代わり、心細い思いで乗り換えた。

最初に住んだアパート。大小のキツネや犬のぬいぐるみを近所のノヴァーコヴァーさん夫婦にいただいた

抱いていた赤いキツネのぬいぐるみは、親しくつき合っていたノヴァーコヴァーさん夫妻から私と妹が贈られたもので、大きいキツネを私がもらい、小さいキツネは妹のものだった。日本への帰国が決まると、妹とキツネを交換することにした。私は、日本に持ち帰る小さいキツネに「のりこちゃん」という妹の名前をつけた。

母国で想い馳せたはるかかなたの国、チェコ

日本に帰ってしばらくは、自分の生まれた国にもかかわらず、異国のように感じることがあった。3年足らずのチェコ暮らしで、それほど向こうに馴染んでしまったのだろうか。

「ねえねえ、チェコってどこにあるの？」「チェコではなにを食べてるの？」

日本の小学校ではきっとみんなの質問攻めに

あって、どこからチェコのことを話してあげたらいいのだろう？　帰国する前は、そんな浮かれた想像をしていた。ところが、外国から来た転校生の私は異星人の扱いで、波が引くようにクラスメートが私から遠ざかっていくのがわかって、幼な心にショックを受けた。

大家族の一員になった私は、いとこたちと日々遊んでいるうちに学校でのできごとは、すぐ気にならなくなった。それでも、夜ふとんに入ると、赤いキツネのぬいぐるみを相手に会話をするようになっていた。思いは、はるかかなたの国チェコに飛んでいた。

「私ってチェコでは外国人だったのに、学校でみんなに優しくされたよね」

「いつか、きっとチェコに行こうね。バビチカやノヴァーコヴァーさんどうしてるかな？　みんなに会いたいね」

（チェコへ行きたい……）そう思わない日は一日もなかった。その気持ちはどんどん自分のなかで大きくなる一方だった。日本でチェコとの接点を探そうとしても、むなしいほどなかった。ときどき親から届く手紙や絵葉書、写真ぐらいだったろうか。

チェコの絵本に見つけた接点

そんなある日のこと。数冊持ち帰っていたチェコの絵本を開いてみた。すると、不思議と心が落ち着くのだった。絵本を開いたとたん、紙から漂う懐かしい匂い。

私は、自分がチェコの家の居間のソファーに座っている気になった。キッチンからはバビチカが妹となにやら話しながら料理をしている気配がした。コンソメスープの煮えるいい匂いまでが、まるで辺りに漂ってくるようだった。

ときどき、そっと声に出してチェコ語を読んでみた。つっかえながら読むチェコ語も、自分の耳には懐かしく響き、かえって胸が締めつけられた。

こうして、日本に持ち帰ったチェコの絵本はいつのまにか、私とチェコを結ぶ接点となり、絵本を通して私の心はいつでもチェコへと飛んでいくことができた。

中学1年生の秋に、両親と妹が帰国して東京へ戻っても、チェコへの思いは募る一方で、チェコの絵本を翻訳する仕事がしてみたいという、より具体的な夢を持つようになった。

私のなかに育った〝チェコ〟

2002年に偕成社からボードブックの『もぐらくん、おはよう』など、もぐらくんの絵本シリーズが出版されると、思い切ってまだ翻訳されていないチェコの絵本をリュックにしょって出版社へ売り込みに出かけた。ぜひとも日本に紹介したいと思っていた絵本の数々。リュックには、あふれんばかりのチェコへの思いも詰めて。

そして『おとぎばなしをしましょう』『こえにだしてよみましょう』『ありさん、あいたた…』（プチグラパブリッシング）の3冊がいっぺんに出版社の編集長に気に入られて、思いがけず出版の話がまとまった。


下積み時代、字幕翻訳や通訳の仕事をしながらも、最もやりたかったチェコの絵本の翻訳ができるようになって、子どものころの自分の思いが果たせたような気がする。翻訳家としてはまだまだ駆け出しで、恥ずかしい失敗も経験した。それでも、一般書よりも絵本の翻訳が自分に向いているのでは、と思うことがある。それは、子どものときにチェコの大人に話しかけてもらったときの、あるいは友だちと遊んだときに聞いていた、生活に根ざした言葉のニュアンスが今でもずっと耳に残っているからだ。

チェコの絵本を翻訳しながら、私はいつのまにか、子どものころの自分に会いに行っているのかもしれない。昔なじんだ言葉の響きと懐かしさ、心地よさ。チェコの文化をもっと日本に広めたい。チェコの絵本の紹介は、ひいては私を育んでくれたチェコの人々への恩返しになってくれればと、そんな思いに支えられて絵本の翻訳をしている。

ノヴァーコヴァーさんの長女ヤルカの結婚式に招かれた。私の後ろに1学年上の遊び友だち、ヤナがいる

ミレルさんの手

ズデネック・ミレルさんと4年ぶりの再会！

2006年の7月、プラハで思いがけない人と再会した。

そのお相手は、「もぐらくん（クルテク）」というキャラクターを生んだ、アニメーション作家で絵本作家のズデネック・ミレルさん。『もぐらとずぼん』『もぐらとじどうしゃ』という絵本を手にすると、懐かしいと思う人も多いのではないだろうか。日本でミレルさんの絵本がはじめて翻訳されたのは1967年。以来、世代を超えて読みつがれている。

もともと画家志望だったミレルさんは、戦争で大学が閉鎖されたため学業を続けられなくなった。ズリーンという町でアニメーターとして働いたのが、アニメーションの道へ進むきっかけとなった。戦後はプラハに戻ったものの、絵では生活できないため、再びアニメーションの道へ。『おひさまを盗んだ億万長者』というアニメーションが、１９４８年にベネツィア国際映画祭で特別賞を受賞し、一躍注目されるようになった。美術や監督などを務め、およそ１００本の映画に携わり、絵本の出版数は60冊にも及ぶ。

新しい「もぐらくん」の絵本を日本で出すので翻訳しませんか、と20代のころからの知り合いの編集者から相談されたとき、嬉しかったのと同時に、責任重大だと思った。日本では40年近くも新刊が翻訳されていなかった。だが、チェコではもぐらのクルテクを知らない人はいない。絵本は3世代にわたって読みつがれていたし、アニメーションを子どもに見せる家庭も多かった。絵本やおもちゃはどこの家にもあり、保育園や子ども部屋にはポスターが貼られていた。そう、大人でさえ、もぐらのクルテクの話をするときには自然と笑顔になるような、不思議な魅力に満ちていた。

「もぐらくんの絵本シリーズ」の出版が決まっていた２００１年。イタリアの「ボローニャ国際絵本原画展」に行った帰路、その出版社の編集者たちと一緒にミレルさんにはじめてお会いした。2度目は翌年の２００２年。一度はじっくりとお話を聞きたいという思いが募って、インタビューを申し込んで、ミレルさんのお宅の庭で実現した。

そうして２００６年、再びお目にかかれる日がやってきた。ミレルさんは、次女の家にいるとうかがって、約束の時間に母と訪ねていった。

ミレル・ワールドに足を踏み入れて……

なかに招かれてみると、キッチンのテーブルで仕事の打ち合わせ中だったミレルさんは「よく来たね」といいたげな身振りで座ったまま手を差し出して、チェコ語で「こんにちは」と言った。

「ドブリーデン（こんにちは）」「ドブリーデン！」

ふっくらと、やわらかくて大きな手。人を包み込むようなやさしい笑顔は、85歳とは思えないほどで、若々しかった。病気が原因で、歩行器が必要になったと聞いていたが、元気なごようすにホッとした。

そう大きくない一軒家の1階は、リビング、寝室、キッチン、それにアトリエまで仕切りのないワンルームになっていた。ひと月の半分は自宅で、残り半分は次女の家で暮らしているという。

真っ先に目についたのは、壁際に置いてあった、大きな〝もぐらくん〟のぬいぐるみふたつ。ベッドのわきには、小さな子ども用のビーチパラソルのついたテーブルといすのセットがあった。庭が眺められる明るい部屋のコーナーがアトリエで、パレットと絵の具

ミレルさんのご自宅を母と訪ねて、翻訳した絵本を手渡す。2003 年ごろ

や絵筆、書きかけの絵が何枚かデスクに載っているのが見えた。ミレルさんのすぐ近くには、まだ箱から出していないもぐらくんの絵のついた厚紙ファイルがたくさん入っていて「どうぞ、お好きなものを選んで持っていってください」と声をかけられた。

ミレルさんの住む家は、ミレルさんの分身ともいえる、やさしくてユーモラスな〝もぐらくん〟というキャラクターとその思いが満ちている、まさにミレル・ワールドなのだった。

再会が繋いでくれた団欒のひととき

私も日本のお土産を差し上げた。白地に紺で鰯や鯨や鮪という魚偏の漢字がずらりと並んだ手ぬぐいと、扇子。

「手ぬぐいは、こうして首にかけて汗をぬぐったり、手を拭いたりするもので……」私が説明するかし終わらないうちに、手ぬぐいを細く折って、スカーフのように首に巻き満足そうな顔のミレルさん。そのままみんなでテーブルにつくと、次女のバルボラさんが用意していたオープンサンドイッチやケーキでもてなされた。私と母は、道中食べるつもりで持ってきていたおにぎりを、迷いながらも差し出してみると、思いがけずおいしいと言われた。ミレルさんも、梅干入りの海苔を巻いたおにぎりを頬張った。来日される機会があったら、どんなにいいだろうと思いながら、おにぎりとミレルさんという不思議な組み合わせを、どこか遠くのできごとのように眺めていた。

「昔は、一日に14時間ぐらい絵を描いていたこともあったが、今はそうはいかないね。次々と新しい考えや計画がわいてくるが、全部はこなせない。でも、昔描いたアニメーション用の背景の絵がたくさん残っているから、それに動物たちを描き足しているんだよ。今度の展覧会用にね」

その話を聞くと私は、ミレルさんがアトリエで絵を描いているところをぜひ見たいと思った。アトリエを拝見するのはむろんはじめてのこと。ひとりでは近づきがたい神聖な雰囲気が漂っていた。ミレルさんは私の願いを聞き入れてくれて、歩行器でゆっくり移動してアトリエのいすに座ると、すぐに絵筆を持って描き始めた。

ミレルさんの手によって絵に生命が吹き込まれる。

ミレルさんと、長女で画家のカテジナさんが絵を共同で描いた蛇腹の絵本が最新で、『もぐらくんとはる』、『もぐらくんとなつ』、『もぐらくんとあき』、『もぐらくんとふゆ』（偕成社）の四季が揃う。

私が音ひとつ立てないように、そうっと近づいて、ミレルさんの手元にぐっと接近してのぞいてみると……。絵筆にのった水彩の黒い絵の具は、どの絵本にも必ずといっていいほど登場する、小さなありさんの輪郭のなかを少しずつ塗りつぶしていくところだった。『ありさん、あいたたた……』という、ありが主人公のミレルさんの絵本もあるが、大ていは脇役として登場する、かわいらしくて、はつらつとしている、あの〝ありさん〟なのだった。ともすると見逃してしまうような、小さな生き物にまで命を吹き込む。そこがミレル作品の根底に流れている、動植物に対する深い愛情の表れなのだろう。

つい見とれてしまったが、カメラに収めることも忘れなかった。ミレルさんの絵本を訳す立場で絵は見慣れていても、こうして作家の手から、筆から物語の世界が目の前で生まれている場に居合わせたことは、なんて幸せなことだろう。

幸せな時よ永遠に！　と思いたかったが、おいとまする時間が迫っていた。プラハのおじいさんを訪ねてきて、また帰るときのような寂しい気持ちになって、アトリエのいすに座るミレルさんと抱擁してお別れをした。

「それでは、また。お元気で。さようなら」

玄関の近くから振り返って見ると、ミレルさんはまだアトリエのいすに座っていた。その手から、ひと筆ごとにどんな絵が生まれて、世界の子どもたちに届くのだろうか。

小学生のとき親の仕事の都合でチェコに暮らし、ミレル・ワールドをじかに体験した私が、今度は日本の子どもたちに、それを届けるお手伝いをすることになるなんて。ただ感謝の気持ちでいっぱいになって、お宅を後にした。

ミレルさんとフォイステル宇宙飛行士

それからは、毎年プラハへ行くたびに、新しく出た絵本を携えてミレルさんのお宅を訪問した。

2011年の8月には、仕事でミレルさんと会うという秘書のフィシェロヴァーさんに同行して、母と妹と一緒にバスを乗り継いで郊外の療養所へいった。

ミレルさんは、フィシェロヴァーさんが持参した、『ゆかいなきかんしゃ』(ひさかたチャイルド)のドイツ語版の色校正をしたり、チェコの子ども服メーカーが、ずぼんにもぐらくんのアップリケをつけるので、その位置を指定したり、次々と仕事をこなした。90歳でも責任をもって仕事をしている姿に心を打たれた。フィシェロヴァーさんは「ミレルさんが眠っていないタイミングを見計らって、ささっと仕事をしてもらうのよ」とくったくなく笑った。

部屋の壁のあちこちに、子どもたちから寄せられたもぐらくんの絵が飾ってあった。

ミレルさんの療養所へ行った約1か月後の9月、フィシェロヴァーさんから興奮した様子のメールが来た。アメリカの宇宙船エンデバーの宇宙飛行士アンドリュー・フォイステルさんが、もぐらくんのぬいぐるみを宇宙に持って行ったばかりでなく、持ち帰ったそのぬいぐるみをミレルさんにチェコで手渡したというニュースだった。

そのときチェコで報道された動画などを見ると、大人も手放しで喜んでいるのがわかった。奥さんがチェコにルーツのある人なので、フォイステルさんがチェコを訪れたときに、チェコとアメリカの架け橋になることはないかと考え、もぐらくんのぬいぐるみを宇宙に連れて行くことを思いついたそうだ。そして、ぬいぐるみを特注したという。

もぐらくん宇宙から戻る

ミレルさんは、宇宙船で宇宙へ行って戻ってきたもぐらくんのぬいぐるみをフォイステルさんから受け取ると、「もぐらくんはとっくに宇宙へ行っていますよ」と言い『もぐらくんと宇宙』という絵本を、フォイステルさんにプレゼントした。絵本に先立ち1965年には、アニメーションの監督として同名の映画を作っていたので、そういう言葉が出てきても不思議ではなかった。

宇宙へ行ってきたもぐらくんを手にしたわずか2か月後の11月30日、ズデネック・ミレルさんはこの世を去られた。

チェコの天体ファンが、ズデネック・ミレルさんにちなんで、新星にZdeněkmilerと名づけた。もぐらくんも、ミレルさんも永遠の輝きを失わないことだろう。

90 歳になられたミレルさんを 2011 年夏に療養所に訪ねた日、秘書と色校正や商品チェックなどの仕事を行なっていた。この数週間後にエンデバー号のフォイステル宇宙飛行士が同じ療養所を訪ね話題になる。11 月 30 日 90 歳で永眠された

チェコのお兄さんミロニュ

絵が上手な学生

　チェコのわが家にミロニュ・カリシュという母の同級生がよく遊びに来ていた。はじめて来たときミロニュは20歳だった。母は30代半ばでプラハ美術工芸大学の建築学科の聴講生になり、同じクラスのミロニュという青年に宿題のことや生活のことなどをよく教わっていた。ひょろっとした色白の人だなあ、とはじめて会ったときに思った。日本文化にとても興味があり、母がよくわが家につれてきた。晩ごはんを一緒に食べることもあったが、珍しそうにお箸や日本の器を眺めたり、かつおぶしなど不思議そうに食べているのが、見ていておかしかった。

　ミロニュの絵はとても魅力的だった。カラーのサインペンが紙の上をすべると、その線はたちまち猫になったり、人になったりして命が吹き込まれていくようだった。線に迷いがまったくない。私もミロニュみたいな絵が描けたらいいな、と子ども心に思った。

絵を見せると必ずいいね、と言ってから「ここをこうしたら、どうなるかな」とアイディアも出してくれるし、穏やかでいつもじっくり話を聞いてくれた。

週末には車でふらっと出かけ、田舎の小さな教会を見つけてなかへそっと入ったら、ほこりだらけのオルガンがあったので、かわるがわる弾いたこともある。古城を尋ね、散策をした。プラハで母が忙しいときは、ミロニュが妹の保育園のお迎えをしたり、ヴルタヴァ川の橋の上に立って飛びかうカモメにパンを投げて母の戻るのを待ったこともある。

嬉しかったのは、ミロニュの実家で子猫をもらったことだ。2匹選び、ピッチとリリーと名づけ、黒ぶちの雄のピッチを自分の猫と決めた。『こねこのぴっち』（岩波書店）という絵本が大好きで、やっとこの名前の猫が飼えた。

「今ここに、いすがあるでしょう。でもこのいすに触れていないのに消えて、そのころ別な場所でこれとそっくりのいすが突然現れることもあるんだよ……」という、SFのような魔訶不思議な話をしてくれたのもミロニュだった。

別れと再会

私が10歳と11か月のとき、家族と別れてひとりで日本へ帰り、父の実家に身を寄せることになった。プラハの空港までミロニュも見送りにきてくれて、いよいよこれでお別れという瞬間に、私の方に身をかがめて、そっとハグをしてくれた。私はまだ小さかったけれど、そのときは言葉を交わさなくても気持ちは伝わった。

私がひとりで帰国してから2年ほど経って両親と妹も帰国すると、ふたたび一家は東京で暮らし始めた。1年過ぎたころだった。ミロニュに日本への渡航ビザが下りて、シベリア経由で日本にやってくるというニュースが舞い込んだ。「ミロニュが日本に来るって！」「夢みたい！」社会主義時代に海外渡航のビザを取ることは、本当に難しかった。それを知っていた私たちには、チェコの友人が日本に来ることは奇跡に近いできごとだった。

ところが、7歳で帰国した妹はわずか1か月できれいさっぱりチェコ語を忘れていたし、私も帰国して3年経つと、チェコ語はほとんど忘れてしまっていた。ミロニュが来るのにチェコ語で話せないなんて、と内心は残念で仕方がなかった。

日本の暑い夏が始まっていた。そして、シベリア鉄道と船を乗りつぎ横浜港に到着したミロニュ。彼を福島の親戚の家につれていって田舎家に泊めたり、千葉の九十九里浜へ海水浴にも一緒に行った。ミロニュが海で泳いだのは、そのときがはじめてだったと思う。私たちは単語レベルだったけれども会話をし、伝えたい意思があれば心は通じるんだな、と中学生だった私は思った。

ミロニュがチェコに帰国した後も、母は手紙のやり取りをがんばって続けていた。ミロニュの絵手紙が届くと嬉しかった。いつも、カラフルなサインペンで、ユーモラスなイラストを添えて読みやすい字で書いてくれた。日本に来たときの船旅の絵も、そこから日本に降り立ったミロニュとスーツケースの姿も、さすがのセンスだと感心した。

ミロニュは大学時代、クラスで一番成績が優秀だった。社会主義時代でも、世界的に有名だった舞台美術家スヴォボダ教授のアシスタントを務め、将来は舞台美術の仕事をしながら大学教授になるのだろう、とみんなは彼の将来を有望視していた。

チェコで再会したミロニュは……

ミロニュが日本に来た夏から9年が経ち、私はチェコスロバキアへ留学することになった。秋からの留学に備えて、夏には母もプラハへ行き、ミロニュとも再会した。彼は結婚をしていた。家庭があり、大学で教え、舞台美術の仕事も始めていたから忙しかったのだろう。私の留学中、ミロニュから会おうと声をかけられたことはなかったし、私も結婚している彼に声をかけるのは、ためらわれた。こうして、ほとんど会わずに2年の留学期間が終わってしまった。

ベルリンの壁が1989年に崩壊して、チェコスロバキアでビロード革命が起こり、東欧は歴史の大転換の渦中にあった。ビロード革命の数年後、少し世のなかが落ち着いたころ、ミロニュと再会するチャンスがやってきた。私と母、妹はそのときを心待ちにしていた。プラハに行くとよく泊めてもらったアンドロロヴァーさんの家を訪ねてきたミロニュ。

（あれ、ようすが変わっている）と私たち3人はすぐに気がついた。年相応にお腹が出ることもあるだろうし、顔にしわが寄るのは当たり前だ。でも、このときのミロニュは見た目だけでなく、食べ方も違うし、体をゆすって落ち着きがないし、もしかして病気なのかなと心配になった。

ミロニュの妹で舞台美術監督のヤナ・カリショヴァーから、あるとき話を聞くことができた。ビロード革命が起こったことで、ミロニュは大学で旧体制派と見なされたのか、大学の職を失ったという。フリーになり、舞台美術の仕事をしているが、激変した環境のなかで痛い目に遭ったのか、精神科にかかるようになったという。

ヤナはもっと詳しく当時の話をしたようだが、私の頭のなかは真っ白になって、それ以上は記憶にない。足の引っ張り合い？　陰謀？　本当のところ、なにがあったかわからないが、民主的な政権を樹立するビロード革命という、光の面ばかりが強調され、その影では、もしかしたらミロニュのような繊細な人は、その急激な変化についていけなかったのかもしれない。ミロニュは間違いなくビロード革命を支持していたと思うけれども。

ミロニュが舞台美術を手がけたオペラが来日

2001年1月から始まり、東京や神戸、その他でのプラハ国立歌劇場オペラ「ドン・ジョバンニ」の公演は大成功を収めた。舞台監督を務めたのはミロニュの妹のヤナ・カリショヴァー。準備の段階から、舞台美術をわれらがミロニュが手がけると聞いていたので、ヤナとミロニュ、兄妹揃って日本に来られないかしらね、と家族は願っていたが、かなわなかった。

劇中に映像を使う、ヤナの大胆な「ドン・ジョバンニ」の演出にふさわしい、ミロニュの洗練された舞台美術を、神戸国際会館と東京のbunkamuraオーチャードホールで観て、わがことのにように嬉しかった。子どものころから、お兄さんと慕っていたミロニュの舞台美術が、ついに日本でお披露目されたのだから。

当時大阪に住んでいた私は、ヤナやオペラ歌手たちが公演で滞在中、大阪にある知り合いの店でチェコ料理をチェコ人と出し、彼らと交流する「チェコの夕べ」を企画した。私と一緒にいた母は、そんなオペラの一行を見ていて、つぶやいた。「ミロニュが公式に来日できないなら、せめて飛行機のチケットを買って来させてあげればよかったわ」。新しい演出の「ドン・ジョバンニ」は日本人にとても好評だったので、それをミロニュにひと目見せたかったし、一緒に日本を楽しめればよかったのに、と言った。

私たちが2004年ごろから、毎年のようにプラハに行くようになると、毎年ミロニュと会えた。娘のカーチャも、そのころ舞台に興味を持って大学で演劇を学んでいた。ミロニュの家族とは親しく会えるのは嬉しかったのだが、ミロニュの病気は少しずつ悪くなり、ときおり入院もするようになっていた。優しい家族に見守られているから、大丈夫だと信じていたのだが……。

1通のメール

私が新潟市に住んでいたある日のこと。自分の日を疑うようなメールが届いた。何度も読み直した。混乱して、メールの詳細は覚えていないが、ミロニュが自ら命を絶ってしまった、という家族からの短いメール。

　チェコに行って最も会いたいミロニュにもう会えないと思うと、心にぽっかり穴があいたように感じて、しばらくはチェコへ行く理由も見つからないほどだった。その2年後ぐらいに、家族がミロニュの大々的な個展をプラハの旧市街で開いた。イラストから舞台美術のデッサン、最後に入院していたときの絵まで、ミロニュの半生がそこにはあった。

　今、ミロニュの家族と会うと、とても不思議なことに、私たちはひとつの家族だったように感じる。それは、ミロニュが20歳のときから兄のように思っていた私たちも、結婚して子どもをもうけた現在の家族もミロニュのことが大好きにほかならないからだ。

　大人になってチェコ語が再び話せるようになったとき私は「ミロニュのことを、子どものときは、お兄さんだと思っていたんだよ」と伝えたことがある。ミロニュは、目を大きく見開いて「へえ、そんなふうに思ってくれていたの!?」と照れ臭そうな笑顔を見せてくれた。言葉にして伝えておいてよかった、と思う。

上：母の大学の同級生たちと郊外に遊びに行った。左端がミロニュ。1972 年ごろ

下：子どものころから親しかったミロニュとの思い出はいっぱいあり過ぎるほど。2004 年ごろプラハにて

ノヴァーコヴァーさんのスープ

記憶をたどって

「やっぱり、まずはノヴァーコヴァーさんのところに行こうよ」と母が言った。2003年の秋も深まるころ、1年ぶりに訪れたプラハで、誰の家から訪問しようか相談をしていたときのことだった。チェコへ来ると、まっ先に行かなきゃという気持ちになるのがノヴァーコヴァーさんの家だった。

地下鉄のストラシニツカー駅で地上に出ると、交差点の角に私が通った9年制の学校があるのを見つけて、ホッとした。

同級生が多く住んでいたのは、交差点から北へのびるスタロストラシニツカー通りの商店街の界隈。放課後は、親友ミーシャとイチゴパフェを食べたり、映画を観に行った懐か

おそらく1971年の春ごろ家で撮った写真。ご近所のノヴァーコヴァーさんと親しくなり毎日会っていたころで、妹を膝に乗せている。右はピアノの先生

しい通りだ。

わが家は、商店街とは方向が違うヴ・オルシナーフ通りの並木道を歩いて5分ほどのところにあった。私たちがチェコへ来て最初に住んだ集合住宅は大通りに面していて、ノヴァーコヴァーさんの住む5階建ての集合住宅はその裏手にあった。お互いの住まいは30メートルぐらいしか離れていなかった。母もノヴァーコヴァーさんも、用があるとお互いの名前を窓から思い切り呼ぶことがあった。

集合住宅に住んでよかったのは、いつでも遊び相手がいたということだった。私たちは、春にはまっ黄色の花を咲かせるレンギョウを手折って母親にあげたり、雪の積もった日には敷地内の坂道でそり遊びをした。ここ

にはいったいどれくらいの期間住んでいたのだろう。わが家はプラハに滞在した4年のあいだに、家が3度も変わった。最初に住んだここの集合住宅は、ノヴァーコヴァーさん一家がいたことで、ことさら思い出深い。

胸が高鳴る瞬間

気がつくと、母とノヴァーコヴァーさんの家の前まで来ていた。1階のドアのそばで、NOVÁKの名前を探してベルを押す。そしてアパート最上階の5階の、あの窓を見上げた。すると窓がパッと開いて、上半身裸のおじさんが顔をのぞかせた。私たちを見ると、「イエッシッシ　マリア！（なんということだ！）キムロヴィ！（木村さんたちだ！）」と言って驚いた顔がいったん引っ込んだかと思うと再び顔を出し、「いいかい。鍵を落とすから上がっておいで」といって、鍵を放ってよこした。

この私たちの突然の訪問に驚くふたりの顔が見たくて、いつもノヴァーコヴァーさんの家に行くときは「突然行って驚かせようよ」と母がいたずらっぽい顔で言うので、いつのまにかそういうことになっていた。

ノヴァーコヴァーさんたちの住む集合住宅は、パネラークと呼ばれる2Kにバス、トイレというコンパクトな間取りでありながら、セントラルヒーティングが完備されていて、冬はポカポカでみな半袖で過ごしていた。エレベーターのある住宅もあったが、ここにはなかった。最上階までハアハア息を切らせて一気に上ると、玄関先には体重が100キロ近いおじさんと、車いすに乗ったきゃしゃなノヴァーコヴァーさんがドアを開けて、いつものように私たちを待っていてくれるのだった。

「アホイ、アホイ!(やあ、やあ)」とお互いに抱き合って顔をのぞきこんで「元気?」と聞く。チェコ人なら「ヨー、ヨー」とうなずくところを、ノヴァーコヴァーさんはいつも「ヤー、ヤー」と答えるところも懐かしかった。ここ数年で、脊椎の持病が悪化しているのか、だいぶ背中が曲がってきたように見えた。誰よりも元気で働き者だったノヴァーコヴァーさんが、40代で車いす生活になったことは、やっぱり気の毒だった。

あのころがそこかしこに

靴を脱いでなかに入ると、30年前とほとんど変わらないノヴァーコヴァーさんの家独特の、日向にいるような匂いがした。寝室と居間を兼ねたふたつの部屋と5帖ほどのキッチン、小さな浴室、トイレという間取り。母と私の足は、自分の家のように自然とキッチンに向かった。小さめの食卓の一辺が、窓辺の壁に寄せられているため、3人しか座れない。4人家族のこのうちは交代でご飯を食べていたことを思い出した。窓の外に目を向ければ、正面には昔私たちが住んでいた集合住宅があって、おじさんに「キムロヴィが住んでいたのは、ほらあそこ」と指さされてそのベランダを見る。すると、子どものころの思い出が次々とよみがえるのだった。

プラハに到着して間もない夏休み、ノヴァーコヴァーさんの家の次女で、私より1歳年上のヤナは、9歳にして160センチくらいの背丈があり親分肌だったが、はじめてチェコでできた友だちだった。言葉が通じなくても毎日のように遊び、家に上がってご飯やおやつをごちそうになった。外で遊んで喉が渇くとヤナと一緒にノヴァーコヴァーさんの家に行き、おじさんが専用のボンベと容器で炭酸水を作るようすを見て、どぎつい赤色をした甘いシロップ、シチャーヴァを炭酸水で割ったものを飲んだ。当時、輸入品は貴重品で、果汁100パーセントのオレンジジュースのようなしゃれた飲み物は、ほとんど見かけなかった。

食の恩人

ノヴァーコヴァーさんの「スープがあるよ！　お腹がすいてるんじゃない？」と聞く声に、われに返って母と顔を見合わせていると、「さあさあ、ここに座って。ヤルダ、スープを温めて！　冷蔵庫に入っているローストチキンとジャガイモもね！」とテキパキと夫に指示をした。
（ああ、ノヴァーコヴァーさんちのスープだ！）と私はこの家のスープが飲めるのが嬉しかった。

留学していた80年代の半ば、私はノヴァーコヴァーさんから「日曜日にお昼ご飯を食べにおいで！」というお誘いの電話をもらい、どんなにその親切が身にしみたことか。お風呂もシャワーも、セントラルヒーティングもない屋根裏のアトリエに住み、奨学金暮らしでろくなものを食べていないと心配してくれたのだろう。私は甘えることにして、商店がひとつも開いていない静かな日曜日の町を、市電とバスを乗りついでノヴァーコヴァーさんの家へ足しげく通った。

行くとすぐに、「ご飯前に、バスタブに温かい湯をたっぷり張ってつかりなさい」と新しいタオルを出してくれた。お昼ごはんは、セロリの根の香りが漂うコンソメスープ。メインは丸ごとの鳥のなかにベーコンなどの詰めものをしたオーブン焼き。ゆでたジャガイモが添えてあり、シンプルなのに美味しかった。夏なら、向こうが透けて見えるような薄切りのきゅうりが甘酢に浮いている、チェコでは定番の夏サラダがついた。デザートは季節の果物のコンポート。さらに、その日焼いた、トゥヴァロフというチーズを使ったコラーチという丸い焼き菓子がお皿に山のように盛られていた。たらふくご飯をごちそうになった後は、持っていったチェコ語文法の宿題を教わりながら仕上げた。そして、必ず昼の惣菜を包んで持たせてくれた。

冬のある日曜日のこと。帰り支度をしていると、ノヴァーコヴァーさんが「スープも持っていくかい？　ビンに入れてまっすぐ持てば大丈夫だから」と私に言った。ピクルスの入っていたビンとふたなので心もとなかったが、スープがこぼれないように持ち、家に無事着いたときには、外気でスープが冷やされ上澄みに薄い油膜が張っていた。それを鍋に移して温めて食べたときの美味しかったこと！　凍えた体がとけていくようだった。

アルバムを広げて

突然訪ねたにもかかわらず、私たちに出されたスープは、懐かしいノヴァーコヴァーさんの、あの味だった。そして、こんなふうに迎えてくれる家がプラハにあるなんて私たちは幸せねえ、としみじみと漏らした母の言葉に、うん、と私は短くうなずいた。

食事の後は、全員で居間に移った。オレンジ色のランプのかさ、壁には油絵、飾り棚にはカットガラスの置物や、昔うちが使っていた和皿なども飾ってあった。昔から育てていたゴムの木がついに天井に達して、首を曲げた動物のように見えた。

おじさんがコーヒーを入れてテーブルに置くと、今度は戸棚から大事そうにお手製の分厚いアルバムを出してきた。この家に来ると、いつも決まって、アルバムをめくりながら思い出話をしたり近況を聞いたりする。そこには70年代の、私と妹がチェコに住んでいた子ども時代の写真から、80年代、90年代と時を経ながらも、ノヴァーコヴァーさんの家の居間で、みんなで撮った写真がきれいに貼られていた。

再会を約束して

「私が病気で寝込んだとき、手紙を子どもに持っていってもらったの、覚えていますか?」と母が聞いた。

「うんうん、覚えているよ。まだチェコ語が全然わからなかったときでしょう」おじさんがすぐに答えた。父がハンガリーへ出張しているときに、母が風邪で寝込んでしまったことがある。晩秋だったか、外はすでに真っ暗だった。母に言われてベッドに紙とペンを持っていくと、母は紙に絵を描き始めた。「私は病気で寝ています。子どもになにか食べるものをください」と、ひと目見てわかる絵だった。私は3歳の妹の手を引いて、ノヴァーコヴァーさんの家に母の手紙を届けた。ノヴァーコヴァーさんは、すぐにパンやサラミを出して私たちに食べさせてくれて、食料もいろいろと用意して家まで母のようすを

妹が19歳のとき、12年ぶりにプラハを訪れノヴァーコヴァーさん夫婦に再会した。「手のひらに乗るくらいノリチカは小さかったんだよ」とおじさんは笑った

見にきてくれた。それがきっかけで、ノヴァーコヴァーさんはわが家にちょくちょく来てくれることになり、シーツなどの大きな洗濯物をお願いするようになった。母はノヴァーコヴァーさんやヤナが家に来ると、ノートを持ってきて、野菜を一つひとつ指を指しながら名前を教わり単語を覚えていった。

あるとき、母が家の鍵を持たずにドアを閉めて入れなくなったことがあったが、おじさんがドアの錠を壊し、なかへ入れてくれた。父が出張で留守がちだったわが家は、ノヴァーコヴァーさん一家がそばにいてくれたことで、母もどんなに心強かったことだろう。

おじさんは妹を、のりこの愛称ノリチカ

を呼ぶときの「ノリチコ」とか「クジャートコ（ひよこちゃん）」と呼んでかわいがってくれた。アルバムを開き、妹が3歳ぐらいのころの写真を私たちに見せて、「ノリチカはね、こうして僕の手のひらに乗るくらい小さかったよね」とコロコロと転がるような声でお腹をゆすって笑った。

「僕がお母さんに頼まれて、保育園へノリチカを迎えに行ったときね、委任状が必要だというので困っちゃってさ。そうしたらノリチカが『おじちゃ〜ん！』といって腕のなかへ飛び込んできたんだよ」おじさんは話しながら、大きな手で目尻の涙をさっとぬぐった。「ノリチカを今度つれて来なきゃだめだよ」おじさんは続けていった。そうだった、妹が19歳のときに揃って来たきりだったから、あれから大分時間が経ってしまった。おいとまするとき、抱き合いながら「今度はノリチカも一緒に3人で来るからね！」と約束した。アパートを出て5階を見上げると、上半身裸のおじさんがいつものように身を乗り出すようにして、ずっとずっと見えなくなるまで手を振っていた。

チェコから届いた封書

年が明けると、絵本の翻訳の仕事で忙しい日々を送りながらも、心はすでに初夏の光がまぶしいプラハへと飛んでいた。なんとか6月に3人でプラハへ行ってノヴァーコヴァーさんに会えないだろうか……。

東京の桜が満開になり、チェコへ行く日程も6月に決めたある日のことだった。一通の手紙がチェコから届いた。封筒の宛名の場所に、英文の私の名刺がそのまま貼ってあるのにちょっと驚いた。差出人の苗字にはまったく見覚えがなかった。宛名を書かずに名刺を貼りつける人って誰だろう。きっと仕事で出会った人かなにかだろう、と思いながら封を開けた。なかに入っていたのは黒枠のレターになにやら印刷の文字。そして手書きの短い手紙が一通。手紙を先に読んだ。

「悪い知らせです。父がなにも言わずにあの世へ行ってしまいました。母は私が引き取りました。あなたとお母さんがなるべく早く訪ねてきてくれるのを、母は心待ちにしています。　ヤナ」

(ヤナって、どのヤナかしら)。ことのなりゆきが飲み込めない私は、黒枠のレターを手にした。Jaroslav Novák という名前があった。「ヤナが書いたって、ひょっとして、ノヴァークさん……?」気が動転した。すると、車いすのノヴァーコヴァーさんは、娘のヤナのところに引き取られたということだろうか。あの仲むつまじい夫婦に、まさかそんなことが起こるなんて。ノヴァーコヴァーさんは車いすのなのに、夫の身になにかあったら……。想像しただけで胸が締めつけられて、なにも手につかなくなった。ノヴァーコヴァーさんの元へ、すぐにでも飛んでいけたら……。

そんなばかな

訃報が届いた10日後のことだった。ヤナから封書が届いた。私がすぐに返事を書かなかったので、きっと同じ知らせを送ってきたのだろう。心のなかでごめんなさいと詫びながら封を開けた。黒枠のレターに印刷の文字。（やっぱりそうだった）今度は手紙が入っていなかった。

一応目を通してみようと思った次の瞬間、自分の目を疑った。黒枠のレターには、おじさんでなくて、奥さんのノヴァーコヴァーさんの名前と亡くなった日づけが書いてあった。頭を殴られたような衝撃で力が一気に抜けた……。（そんなばかな、そんなばかな、なんでノヴァーコヴァーさんまで逝っちゃうの？）

長いあいだ、私はこの事実が受け入れられなかった。いっぺんに、大事なチェコのおじちゃん、おばちゃん夫婦がいなくなるなんてことがあるだろうか。それはあんまりだ、と心のなかでいくどとなく叫んだ。

チェコで私たちを無条件に愛してくれたノヴァーコヴァーさん夫婦。社会主義の国だったチェコスロバキアで当時、私たち西側の外国人とつき合うとどんなことが起こるか、警戒心も損得勘定もなく私たち家族とつき合ってくれた人たちだった。

再会はすぐそこまで

心の整理がついて、ノヴァーコヴァーさんの思い出について書こうという気持ちになるまで10年もの歳月が流れた。毎年のようにチェコに行くようになっても、まだ娘のヤナには会えないでいる。そして、今でも自分がスープを作るときに、ノヴァーコヴァーさんのスープを再現しようとするが、いつもなにかが違うのだった。ニンジンは必ずまるごと入れて柔らかくなってから細かく切って入れ、牛の肉片も同じように最後に細かくして入れていた。セロリは葉の部分でなく根を、ひとかけら必ず入れていた。なのに、なにかが足りない。

そんなスープの作り方を考えていると、そろそろヤナに会えるような気もしてきた。娘のヤナなら母親の味をしっかりと受けついでいるだろうし、私もノヴァーコヴァーさんの、あのスープの味が最近恋しいと思うようになってきた。

ノヴァーコヴァーさんと、保育園に妹を迎えに行った帰りだろうか。母が行けないときはお願いしていた。母が右手に持っているのは、生ビールを買って入れてもらう木製のふたつきのつぼ

チェコの子どもの本の翻訳家になって

日本の小さな絵本から

物心がつくころから、絵本を飽きずに見ていた。本にまつわる話になると、思い出が次々と、あふれでてくる。

くり返し母に読んでもらったのは『こねこのぴっち』『ひとまねこざる』『きかんしゃやえもん』など「岩波の子どもの本」シリーズの絵本だった。

夏休み、九十九里浜の近くに住む「千葉のおじいちゃんち」に行くときは、同じシリーズの絵本『かにむかし』を必ず持っていった。千葉のおじいちゃんちは、海まで2キロぐらいの川沿いにあり、砂地の庭にあった五右衛門風呂に入るときに、カニをよく見かけたので絵本『かにむかし』を開くのが楽しみだった。

給食を食べるのが遅い、積極性がないと通信簿に書かれていた平凡な小学校3年生の私に、ある転機が訪れた。

チェコとスロバキアがひとつの国を成していた時代に、父の仕事の関係でプラハへ移り住むことになったのだ。

チェコスロバキアで出合った子どもの本

1968年8月、ソ連軍をはじめとするワルシャワ条約機構軍のチェコスロバキアへの侵攻が世界を驚かせ、新聞社にいた父はプラハ支局開設の命を受けた。そして、1970年のはじめに単身プラハへ赴任し、家族も8月にプラハへと飛んだ。

時は東西冷戦のさなか。西側陣営と東側陣営は、鉄のカーテンで仕切られていたため、チェコスロバキア社会主義共和国とは、いったいどんな国なのか、当時は情報もほとんどなかった。父から送られてきたチェコへ持っていく物リストに「鍋」があり、母は鍋もない大変な国へ行くと思っていた。

当時、プラハに住んでいた日本人小学生の数はわずか10人足らずで、私だけがインターナショナルスクールでなく、チェコの9年制の学校へ入ることになった。

少人数のクラスで、フリノヴァー先生とみんなに優しくされて、私はすぐにチェコの学校にとけ込んだ。放課後に友だちの家に遊びに行くと、子ども部屋できれいに並んだチェコの子どもの本を見せてもらった。ひと目見て「すごい！」と思った。見たことがないような豪華な装丁の絵本。絵本といっても、日本で見ていたのはだいぶ違う。文字もびっしり並んでいるが、カラーの挿絵の細部まで見ていると、絵のなかに吸いこまれそうだった。

どの友だちの家に行っても、子どもの本がたくさん並んでいた。ひざに乗せるようにして友だちが昔話を読んでくれる。私は字が読めなくても、それを聴きながらじっと挿絵に見入っていた。

この本を日本語で読みたい！

忘れられない子どもの本がある。

"*ZLATOVLÁSKA a jiné české pohádky*" Karel Jaromír Erben, Artuš Scheiner, Albatros.『金色の髪のお姫さま　チェコの昔話』カレル・ヤロミール・エルベン文、アルトゥシ・シャイネル絵、アルバトロス社。

表紙は白馬にまたがる美しい王子さまとお姫さま。その絵のまわりを、たんぽぽの花がアールヌーヴォー調に飾りたてている。だが、本をめくっていくと、美しいものだけが描かれているのではないことがわかる。ハッとして、思わず閉じたくなるような絵もなかに

小学生のときに衝撃を受けた昔話の本
『ZLATOVLÁSKA』K. J. Erben, Albatros

はあった。見てはいけないものを見てしまったように、それからまたおそるおそるページを開く。森にいる、小さくて長い黒髪の妖艶な妖精たち。また別のページには、部屋のなかで太陽のような光輝く老人の顔だけが浮いている絵、違う話では、おなかがはれつしそうに大きくなった森のなかの男性の絵。部屋中が鍋からこぼれたものでうめつくされてテーブルに乗っている女性の絵。どの絵からも、昔話の内容を知りたくなった。

「オテサーネク」という昔話は短いので、友だちが話を教えてくれたのが忘れられないものとなった。

挿絵の一枚は、家のなかでヒキガエルの化け物のようなものが人を飲み込んでいる。化け物の口からは、人の足がにょきっと出ているではないか！

子どもがいない木こりの夫婦は、ある日だんなさんが持ち帰った木の切り株を、男の子の赤ん坊として育てることにした。赤ん坊のオテサーネクは「かあさん、なにか食べたいよ！」とすぐに話しだし、おかみさんはおかゆやミルク、パンを与えようと奔走する。すべてをあっというまに平らげる赤ん坊は、みるみる体が大きくなっていく。ついに、母も父も飲み込み、いよいよ外へ出て、クローバーと少女、農夫と干し草、豚飼いと豚、羊飼いと羊を次々に飲み込み、キャベツ畑にやってくる。オテサーネクがキャベツを飲み込んでいると、畑にいたおばあさんに叱られる。オテサーネクは、おばあさんに襲いかかるが、逆におばあさんの鎌でお腹をぱっくり割られる。そして死んでしまった。お腹のなかからは、これまで飲み込まれた人や動物が次々と元気よく飛び出してくるのだが、最後に、だんなさんとおかみさんが現れ、次の言葉で締めくくられる。

「ふたりはそれから二度と『ああ、わしらにも子どもがおったらなあ！』といわなくなりました」

小学生のときに、大変な本と出合ってしまったものだ。なぜなら、絵だけではわからない話の内容を「日本語で読みたい！　この本について日本の友だちと話をしたい！」との強い思いがわいてきたのだ。私を翻訳家の道へと誘った最初の本といえる。

チェコからひとり帰国して……

チェコで暮らしているときは、よく友人の別荘へ招かれたし、宿題のない夏休みは田舎でのびのびとしていたところ、次第に日本語が書けなくなってきた。心配した父は、私を先に帰国させて、自分の実家のおじいちゃん、おばあちゃん、いとこが3人いる大家族の家へ私を預けることにした。私がモスクワ経由で帰国したのは、5年生の終わりごろ、10歳のときだった。

インターネットが普及するより、ずっとずっと前のことなので、親とやり取りする手紙しかチェコとの繋がりはなかった。チェコが遠い遠い手の届かない国になってしまったことを思い、ひとりになると懐かしさで胸がいっぱいになった。

にぎやかな大家族の生活も楽しく、日本の生活になじんでいくにつれて、チェコ語も次第に忘れていった。だが、ときおり好きなチェコの絵本を開くと、社会主義時代の本に使われていた独特の紙の匂いにひき込まれて、自分がチェコにいるように感じた。

中学に上がると、こんなにチェコの絵本が好きならば「翻訳」という仕事が向いているかもしれないと考えるようになった。でも、どうしたらなれるのだろう？　疑問を抱きながら大人になった。

会社勤めをしているころ、子どもの本の出版社に知り合いができたので、チェコの子どもの本を何度か提案したものの採用されなかった。それでも「チェコ」と関係があると聞けば、ありとあらゆる分野の翻訳や通訳など、チェコに繋がることならばなんでも引き受けた。

翻訳の仕事ことはじめ

はじめて翻訳をして報酬をいただいたのは映画の字幕翻訳で、オルドリッチ・リプスキー監督の『カルパテ城の謎』という、オペラ歌手をめぐる摩訶不思議な内容の作品だった。80年代なので、ビデオ用に翻訳依頼がきたが、同じ作品が1987年に東京ファンタスティック映画祭で上映されることになって、さらに映画用に翻訳に手を入れた。上映会場で身を潜めて映画を観ていると、観客が笑ってくれた。それが大いなる勇気となった。

ゆきだるまくんとの友情の話『もぐらくんとゆきだるまくん』ハナ・ドスコチロヴァー 作、ズデネック・ミレル 絵（偕成社）

そして、ついに翻訳したチェコの子どもの本が出版された！ 1冊目はチェコで大人気のキャラクター、クルテク（もぐら）が主人公の『もぐらくん、おはよう』（偕成社）で、それから「もぐらくんの絵本シリーズ」を続けて翻訳した。はじめて本が出たとき、私は40歳になっていた。やっと翻訳家への道筋がついたと思い、ズデネック・ミレルの、もぐらくん以外の絵本や、チェコアニメーションの巨匠といわれるイジー・トゥルンカが絵を描いた『おとぎばなしをしましょう』『こえにだしてよみましょう』（プチグラパブリッシング）など絵本の翻訳を夢中でやった。

あの昔話の本がついに……

東日本大震災のあった翌年の2012年、心にぽっかり穴が空いてしまっていたころ。チェコの小学生だった私が衝撃を受けた、あのエルベンの昔話の本を翻訳する機会に恵まれた。昔話が13話入った、この宝物のような本を知り合いの編集者に見せたところ、とても気に入ってもらえて、やりましょう！　という話になった。

あの不思議な絵をまるで解読するかのように丁寧に翻訳を進めていくと、絵だけ見ていたかつての小学生の自分と重なり、わくわくした。

そして、『金色の髪のお姫さま　チェコの昔話集』（岩波書店）が生まれた。本の判型は小さくなったが挿絵もすべてカラーで入ったので、完成した本をはじめて渡されたときは、本当に子どものころの夢がかなったのだと、頬ずりしたくなった。

エルベンの昔話にはグリムと似た話もあるが、私がとくにおもしろいなあと思ったのは「火の鳥ときつねのリシカ」「オテサーネク」「ものしりじいさんの三本の金色の髪」「この世に死があってよかった」「知恵と幸運」「いじわるな妖精」だ。後にこうしたエルベンの『金色の髪のお姫さま　チェコの昔話集』から選んだ話と、新たに翻訳したボジェナ・ニェムツォヴァーなどの作家からの昔話を編み、出久根育さんの絵による『火の鳥ときつねのリシカ　チェコの昔話』が、岩波少年文庫に入った。

チェコの二大昔話収集家であるエルベンと、女性作家ニェムツォヴァーを一度に紹介できたことも嬉しい。

19世紀、オーストリア帝国の支配下にあったチェコでは、民族復興運動と結びついて、昔話、民謡、わらべうたなどがさかんに収集された。このふたりの作家の功績がとても大きいため、チェコ文化を知りたい人にはぜひ一読してもらいたいという思いで編んだ。それは、チェコの小学生だったときに、友だちと本の内容を分かち合いたいと思った気持ちと、なんら変わりがないかもしれない。

エルベンとニェムツォヴァーを中心に選んだ昔話集『火の鳥ときつねのリシカ　チェコの昔話』出久根育 絵（岩波書店）

カレル・チャペックの３歳上の兄、ヨゼフが子どもたちに語ってできたお話『こいぬとこねこのお話』ヨゼフ・チャペック作（岩波書店）

子どもの本を翻訳して思うのは……

　子どもの本の翻訳といっても、絵本や昔話や読みもの、詩やわらべうたなど、ジャンルによって、それぞれの難しさがある。でも、私は難しさの向こうに、訳語がぴたっと日本語に収まったときの楽しさを感じる。

　チェコの子どもなら必ず読むといわれる児童文学の古典、ヨゼフ・チャペック作・絵の『こいぬとこねこのおかしな話』（岩波書店）という本を翻訳するときは、こいぬとこねこの性格づくりと、会話の軽快さに重きを置いた。

　こいぬとこねこは、人間と同じように暮らそうとするが、床掃除をしたり手紙を書いたり、ケーキを焼いても、とんでもない失敗ばかり。話のなかに作家本人ヨゼフ・チャペックまで登場させて、こいぬとこねこと会話をする。「えっ、そんなばかな」と思いながら、思わずおかしくて、ふふんと笑ってしまうようなナンセンスにあふれた10の話。手紙を書くところではチェコで受ける笑いのツボを押さえたうえで、どうしたら日本の読者にも笑ってもらえるか、その場面を想像して、笑いのツボを日本版に置きかえた。

また、ヨゼフの3歳下の弟のカレル・チャペックといえば、世界的に名が知られた作家だが、おもしろいことに、児童文学作品の世界でも優れた作品『長い長いお医者さんの話』（岩波書店）を書き、日本では中野好夫訳で親しまれてきた。

新訳をという話があり、おそれ多いと思ったものの挑戦し、『長い長い黒猫の話』という題名で小学館世界J文学館のなかに入った。チェコでもあまり収録されたことがなく、中野好夫訳の本にも入っていない話「風来坊と宝物の話」「幸せな農夫の話」を入れた全11話からなる。この2話が、翻訳していて気になる作品だった。どちらも短い話だが、とくに「風来坊と宝物の話」はとても奇妙な話だ。風来坊をめぐるまわりの人間の欲を滑稽に描き、最後まで結末が予想不能で読者をひきつけてお

カレル・チャペックの未邦訳の2編も訳した『長い長い黒猫の話』カレル・チャペック 作、ヨゼフ・チャペック 絵（小学館世界J文学館）

いて、アッと言わせる結びが待っている。ここにカレル・チャペックのすごさを見た。正直な気持ち、この作品を翻訳するのはしんどかった。なぜなら、人間の持つ欲望や残虐さから目をそらすことができなかったからだ。

また一方で、絵を見ているだけで楽しい気持ちで翻訳に入れるものもある。ヨゼフ・ラダがそうだ。私がチェコの小学生だったときに、翻訳家の小野田澄子さんが近所に住んでいらして、おつかいに行ったときに翻訳書『黒ねこミケシュのぼうけん』を手渡されたのがきっかけで、ヨゼフ・ラダが大好きになった。チェコの国民的画家ラダの絵本やポストカードを、チェコの町ならどこでも見かけるし、カレンダーといえばラダが今でも定番だ。故郷フルシツェの牧歌的な風景や、子どもたちの遊び、歳時記、ゆかいな動物たちなど、チェコでは、わらべうたの絵本でラダの絵に親しむ子どもは多い。

現在、長年あたためてきた、ラダの絵によるチェコのわらべうたの絵本を翻訳している。わらべうたの翻訳をするというとチェコ人はびっくりして「あれを、どうやって訳すの?」と聞いてくるのだが、もし日本の「ずいずいずっころばしごまみそずい」や「かごめかごめ」をチェコ人がチェコ語に訳すと聞いたら、私も同じことを言うだろう。

ラダの絵を見て、顔がくもる人がいるだろうか。動物も人間も風景も、すべてあたたかい線で描かれている。遊びに夢中になっている子どもたち、家畜も人間と同じようにおしゃべりができる存在で、こんなに楽しい世界はない。『きつねがはしる　チェコのわらべうた』が、「岩波の子どもの本」創刊70周年の2023年、新しい仲間に加えてもらえた。

チェコ語のわらべうたを読むと、子どものころにチェコのおばあちゃんや、おじさん、おばさんと話したときの、あの会話のぬくもりがよみがえり、心地よいリズムが自然に体に入ってくるようだ。五感で受け取ったチェコの文化を、日本語へ翻訳する。その過程がなにより楽しい。

チェコの国民的画家ヨゼフ・ラダの絵によるチェコのわらべうたの絵本『きつねがはしる　チェコのわらべうた』ヨゼフ・ラダ 絵（岩波書店）

小学生のときにチェコに住み、子どもの本に感動して「この本を日本語で読みたい！　友だちと語り合いたい！」と思った気持ちが私を翻訳家にしたとすれば、チェコの文化を紹介することは、ヤポンカ一家を大切にしてくださったチェコのみなさんへの、せめてもの恩返しだと思っている。

あとがき

　新聞記者だった父の赴任先チェコスロバキアで、私たち家族はチェコの人たちになんて大事にされてきたのだろう、と今あらためて思います。日本人がとても少なかった時代に現地校へ入り、チェコ人同様の生活を体験しなければ、後にもう一度チェコ語を勉強したい、とかチェコの子どもの本の翻訳家になりたい、と思うこともなかったでしょう。

　20代も終わりのころになり「そんな貴重な経験をしているのに、自分の記憶だけで終わらせていいの？」と私のなかのチェコのヤポンカの声が聞こえるようになりました。また、5歳下の妹は現地でチェコ人以上にチェコ語が流暢だったのに、7歳で帰国すると1カ月半でチェコ語をきれいさっぱり忘れてしまった、ということも、当時中学生だった私には衝撃的なできごとでした。このこともずっと胸にあって、チェコ時代の記憶が断片的にしかないという妹のために、家族のために、お世話になったチェコ人に本を渡すためにもエッセイを書こう、と思ったのです。

まず、エッセイ集の企画を、チェコの絵本の翻訳『おとぎばなしをしましょう』などを出版したプチグラパブリッシングに持ち込み、書籍化を前提に２００４年よりウェブサイトでエッセイ「チェコのヤポンカ」の連載が始まりました。ところが、諸事情により本にはならず、自分の公式サイトを作ってエッセイを移しました。そして長い年月を経て、２０２２年に、この本の版元かもがわ出版の編集者と出会い、ようやく書籍化への道が開けたのです。

長年ベルギーに暮らし、アカデミーで陶芸や木工などの創作を続けていた母が、２０２３年春に2カ月間日本へ帰ってきました。そのとき、エッセイ集が出るので、チェコ時代のことをもっと教えてね、と頼むと嬉しそうでした。

ところが母がベルギーへ戻って3週間後、倒れて病院へ搬送されたという知らせを受けて、急ぎ妹とベルギーへ飛びました。母のいないアパートに暮らしながら、毎日病院へ見舞いに行き、回復を待ちました。急な展開にまるで映像でも見ているように感じました。母の品物に囲まれて暮らした約4カ月の間に目についた物があります。２０２２年、母とプラハで過ごした夏に書き込んだ、手作りの大きな予定表です。１９８９年のビロード革命後はチェコへも行きやすくなり、２００４年頃からプラハで毎年母と合流するようになりました。プラハでいつも母は予定表を張り出し、毎日誰と誰に会うか予定を書き込んでいき、「もう30人に会ったのよ！」と人に見せていました。

こうして元気なころの母の姿を思い出すものの、不安な日々が続くなか、3つのエッセイを母のデスクで書きおろしました。「チェコのお兄さんミロニュ」「プラハの屋根裏生活とペピークの田舎」「チェコの子どもの本の翻訳家になって」です。いつになく、母の存在を感じながら書くことになりました。


この本ができるまで足かけ20年かかりましたが、4名の方が原稿を見てくださいました。プチグラパブリッシングでエッセイの連載「チェコのヤポンカ」を担当し、現在は「マーマーマガジン」編集長で文筆家の服部みれいさん、プチグラパブリッシングを経て、現在は河出書房新社編集部の高野麻結子さん、私のウェブサイト「チェコのヤポンカ」デザイナーで元ペヨトル工房の編集者、現在はオンラインショップ「和雑貨翠」オーナーの白石由美子さん、本にしないともったいない、と言ってくださった、かもがわ出版の天野みかさんです。心からありがとうございました。

写真が多く残っているのは、カメラ好きだった母のおかげです。私は、あまりにパワフルでわが道を行く母と、若いころは折り合いがつきませんでした。でも、背中を押されなければ、私はチェコスロバキアに留学していたかどうか。今年の夏、ベルギーのアパートに暮らし、母のすごさを思い知り、ずいぶん鍛えられてどうにかやってきた自分に気がつきました。今、日本のリハビリ病院にいる母が、この本の感想を言ってくれる日を、心待ちにしています。

木村有子

2023年12月

Illustration: Miloň Kališ

著者略歴
木村有子（きむら ゆうこ）
1962年、東京生まれ。1970年代にプラハの小学校に通う。日本大学芸術学部卒業後、1984年から2年間プラハのカレル大学へ留学。新聞社勤務を経て、1989～94年ドイツのフランクフルト大学、ベルリン自由大学でスラブ語圏の言語を学ぶ。翻訳書に「もぐらくんの絵本」シリーズ、『どうぶつたちがねむるとき』（偕成社）、『クリスマスのあかり』（福音館書店）、『長い長い黒猫の話』（小学館）、『金色の髪のお姫さま チェコの昔話集』『こいぬとこねこのおかしな話』『火の鳥ときつねのリシカ チェコの昔話』『きつねがはしる チェコのわらべうた』（岩波書店）など。

公式ウェブサイト「チェコのヤポンカ」
https://www.ceska-japonka.com/

装幀　土屋みづほ

チェコのヤポンカ
――私が子どもの本の翻訳家になるまで

2024年1月25日　初版第1刷発行

著　者　木村有子

発行者　竹村正治
発行所　株式会社 かもがわ出版
〒602-8119　京都市上京区堀川通出水西入
TEL 075-432-2868　FAX 075-432-2869
振替　01010-5-12436
http://www.kamogawa.co.jp
印刷所　シナノ書籍印刷株式会社

ISBN978-4-7803-1310-9　C0095　Printed in Japan
©Yuko Kimura 2024